JN123712

コロナ時代の人文学

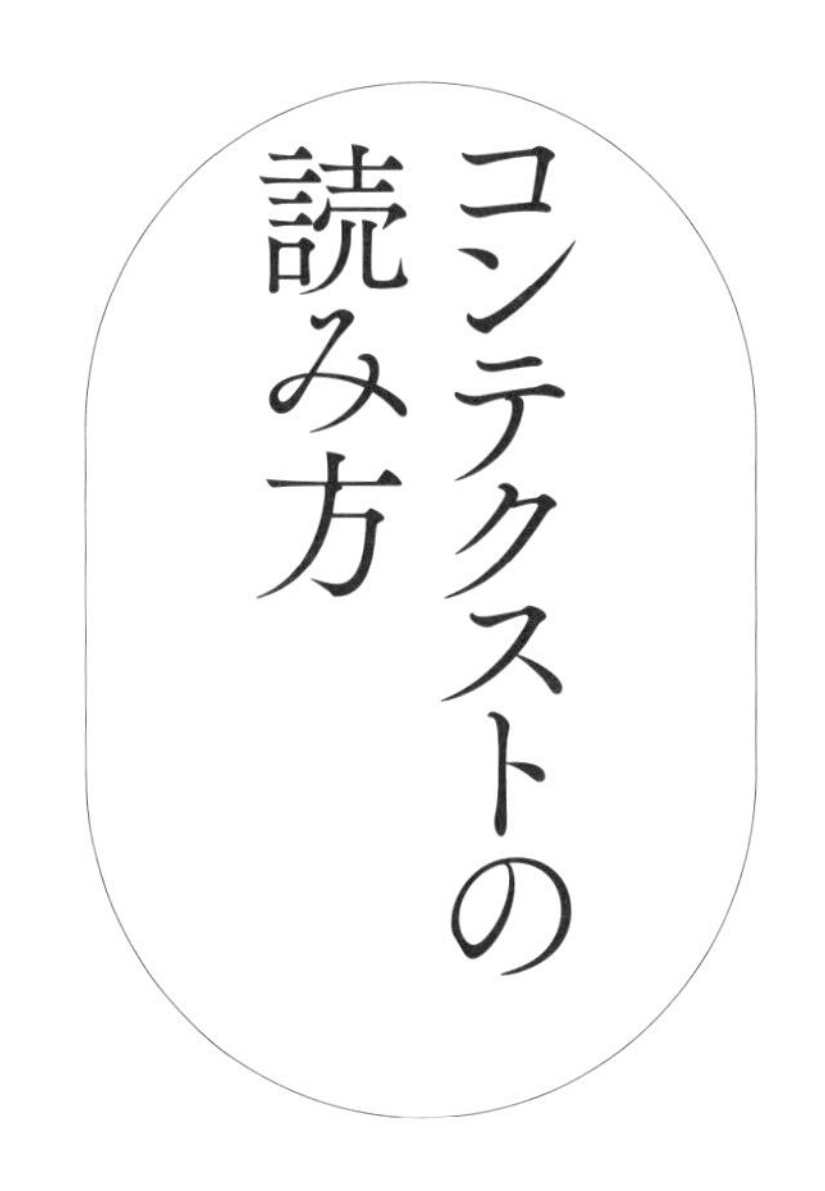

コンテクストの読み方

千葉一幹

NTT出版

コンテクストの読み方——コロナ時代の人文学

目次

現在バイアスと人文学

「現在バイアス」という言葉をご存知でしょうか。その意味を理解していただくために、一つの例を挙げてみましょう。いますぐ一万円をもらうか、一週間後に一万一〇〇円をもらうか。さて、あなたはどちらを選ぶでしょうか。

前者はすぐに一万円を手に入れられますが、後者は一週間でもらう額が一％増えるので、年利にすると五〇％を上回る超高利回りです。しかし、多くの人は前者を選ぶそうです（大竹［2019］）。一方、一年後に一万円をもらうのと、一年と一週間後に一万一〇〇円もらうのと、そのどちらを選ぶかと問われたら、逆に後者を選ぶ人の方が多くなります。

人は、近くない将来の出来事に関しては合理的判断ができるのに、間近なことに関しては合理性よりも目先の利益（快楽）にとらわれてしまいがちです。これを行動経済学では「現在バイアス」と言います。この現在バイアスは、現在の世界状況を語る際にしばしば使われる「反知性主義」ともかかわるものです。

二〇二〇年から二〇二一年にかけての新型コロナウイルス流行に対する各国の対応は、それぞれの国や地域の首脳の緊急事態に対する対応力の差を示すと同時に、「現在バイアス」が引き起こす悲惨をまざまざと見せつけたとも言えます。

感染の第一波が始まった当初、台湾や韓国は、先を見越した迅速な対応によって新型コロナウイルスの被害を最小限に抑えこみました。なかでもＩＴ技術を駆使した台湾の対策は見事であったと言うべきでしょう。対して、対策の遅れから感染拡大を招き、多くの犠牲者を出したアメリカは、自国の目先の利益を優先する政策をとったことがその一因であったと考えられます。アメリカは甚大な被害の発生後、その責任を転嫁するようにＷＨＯの中国寄りの姿勢を批判しました。しかしながらそうした状況を作ったのは、アメリカ・ファーストのかけ声のもと、国連など国際機関における活動から自ら手を引いた結果とも言えるでしょう。

翻ってわが国はどうでしょう。場当たり的とも言われた政府の対応の割には、欧米と比較して被害が比較的少なく済んでいます。

新型コロナウイルス蔓延に対してそれぞれの国や地域が取った政策により、結果において明暗が分かれました。目先の利益を優先するか、先を見越した周到な政策をとるかの違いは、反知性主義的な現在バイアスにとらわれているかいないかの違いとも言えましょう。

反知性主義とは、もともとはリチャード・ホフスタッターが一九六〇年代に使った用語であり、知性そのものを否定するものではありません。「知性と権力の固定的な結びつきに対する反発を身上」（森本［2018］）とするもので、昨今使われているような、感情にまかせた非合理的判断や、事実に反した偏見に基づく主張に対する罵倒の言葉のようなものでは本来ないのです。

しかし、コロナ禍が生み出した全世界的混乱を見ていると、少なくとも表面的には、人々が、目先の利益にとらわれた振る舞いをとっているようにも見えます。同時に忘れてはならないことは、今回の新型コロナウイルスが巻き起こした混乱は、グローバリズムのもたらす負の側面であることです。

少子高齢化、人口減の進む日本が経済発展を遂げるには、大量の移民を引き入れる必要があるとも考えられています。しかし、現状において日本がとったのは、恒常的移民を引き受ける代わりに、観光客という一時的移民を呼び込むインバウンド作戦でした。今回の新型コロナウイルスの世界的流行は、主にこの人の移動によってもたらされたものと言ってよいでしょう。

グローバリズムが人の移動を必然的にともなう以上、今回のコロナ禍は、どのような事態にも異なる側面があること、光には必ず闇がともなわれるという、当たり前のことを再認識させてくれました。そして、反知性主義的潮流とは、物事の一面しか見ない短絡的思考とも言えるのです。

「知性と権力との固定的な結びつき」への反感

本書の主題である人文学に関していえば、反知性主義的潮流は、逆のかたちで現れています。二〇一五年六月に文科省によって出された「国立大学法人等の組織及び業務全般の見直しについて」という通知は、国立大学における文系学部廃止を報じるものとしてマスコミを賑わせました。当時国会で審議されていた安保法制の問題ともからみ、人文知の破壊をもたらすものとして取り上げられ、海外のメディアも加わり、ついには経団連さえも文科省を批判するような声明を出すに至りました。

この間の経緯については、吉見俊哉が雑誌「現代思想」に発表した「『人文社会系は役に立たない』は本当か？」で丁寧に論じています（吉見［2015］）。この通知と同様のものは前年の二〇一四年にすでに出されていました。このため話題になった通知は、いわば再通達だったのですが、それが翌年になって議論を沸騰させたのは、マスコミによるフレームアップや誤解があったと吉見は指摘しています。

だから、この通知自体看過してよいということではもちろんありません。同じく「現代思想」に掲載された対談「大学への支配と抵抗」で鵜飼哲や島薗進、そして先に触れた吉見も指摘していることですが、人文学軽視の風潮は、いまに始まったことではありません。吉見は、こうした風潮の端緒を二〇〇四年に行われた国立大学法人化に求めています。また鵜飼や島薗も、ブッシュ政権下のネオリベラリズム的政策への抵抗としてのガヤトリ・スピヴァクなどの活動を例に挙げ、一〇年以上前から同様の流れがあったと指摘しています。

吉見や鵜飼、島薗が指摘する人文学軽視の流れを生んだ要因は、経済的利潤産出の多寡および国家的価値への貢献度という基準で学問の価値を計ろうというネオリベラリズム的・新保守主義的思考法にあると言えます。ネオリベラリズムは、自由、公平性、多様性の重視といった従来の人文学研究の基本姿勢に真っ向から対立するものです。そうした状況において、二〇二一年現在、人文学研究の意義をどのように語ればよいでしょう。

先述した現在バイアスの話を使えば、一週間後でなく一年後という未来の視点に立つと、人は合理的な思考をとることができます。ならば、人文学を学ぶ価値も即効的なものでなく、中長期的な価値があると説けばよいのでしょうか。

それは間違いではありません。人文学の価値を説く多くの論法はそうした語り方をします。しかし、現在の反知性主義の潮流は、単に目先の利益にとらわれる現在バイアスに起因するものだけではありません。それが本来持つ「知性と権力との固定的な結びつき」への反感、つまり既成の価値観への疑義という意味合いも含まれています。

たとえば、終身雇用に代表される日本的雇用慣行の終焉に示されているように、現在日本で暮らす人々、とりわけ大学生を含む二〇代から三〇代の若い人たちに共通する思いは、五、六〇代の親世代のような職業人生を送ることは困難だろうというものです。彼らは、先行する世代の価値観で行動しても、自分たちの将来には役立たないと思っています。自分たちの親世代、とりわけエリートと呼ばれる人々が作り上げた慣行、つまり「知性と権力との固定的な結びつき」の終焉を若い人たちは意識しているのです。

かつて、サルトルは、飢えた子の前で文学は無力であると述べました。最初の例に則して言えば、飢えた子どもに、目の前のパン一切れと、一週間後のカツサンドとどちらを選ぶかと問えば、子どもは間違いなく前者を選ぶはずです。

若い人を飢えた子どもに例えたいのではありません。ただ、これまで日本社会の基盤にあった価値観への信用性が揺らいでいるとき、つまり未来が不確かなとき、とりあえず手近な利益を求めることは、決して非合理的振る舞いとは言えないのです。二〇〇八年のリーマンショック時を上回る不況に見舞われ、ワクチンの接種が始まったとはいえ、未だコロナ後の世界の見通しもつかない現在の状況を鑑みれば、眼前の事態に即応する態度を批判するのは難しいでしょう。

これまでの人文学が重視してきた自由や公正性、あるいは多様性の価値を頭から否定するものは多くはないでしょう。しかし、現在のコロナ時代においてはそうした遠い理念よりも、身近なところで役に立つ知識を人々はまず求めているのです。

本書が目指すのは、こうした現在バイアスにとらわれた行動をとる人々からは敬遠されがちな人文学に、実はコロナ時代にふさわしく、手近なところで役立つ知の技法があることを提示することです。

本書は、次のような二部構成をとります。

まずⅠ部では、文学作品にとどまらず、漫画や映画などを題材に、さまざまな文学研究の技法について説明します。そうするのは、読者のみなさんに単に文学研究法に習熟していただきたいからではありません。コンテクスト＝文脈の重要性を理解し、文学に触れることが、目の前の利益にもつながることを体感していただきたいからです。目先の利益につながるという意味でのコンテクストの重要性については、少し後で説明します。

Ⅱ部は、夏目漱石の作品を中心に、より突っ込んだ議論を展開した第8章と、それをもとに教師と二人の学生が漱石の作品について語る第9章からなっています。Ⅱ部は、Ⅰ部とは文体や印象が異なり、少々とっつきにくいかもしれません。ただ、ここでは、単に文学を学ぶことの即効的効用だけでなく、長い目で見て、文学に触れることの意義を感じ取っていただきたいのです。というのも、文学作品が一種のメンター、つまり人生の指標＝師表になることを知ってもらいたいからです。

作品の受け取り方は、同じ人であっても、読む人のその時々の環境や身体的・精神的状態、あるいは年齢やその人がいる社会的・歴史的環境によって異なってきます。若いときには感動した箇所も、年を重ねると心を動かされなくなったり、反対に若いときには気にもならなかったところに、後年心をとらわれたりすることがあります。再読する度にそうした新しい発見をもたらしてくれる作品こそ、古典と呼ばれる作品なのです。

夏目漱石の作品はそうした再読に耐える古典ですが、漱石を特に取り上げた意味はそれだけではありません。漱石自身が、ある出来事は、視点の違いによってまるで異なる見え方をすることを主題化した作家であったと言えるからです。つまり、コンテクストの重要性を繰り返し語った作家だったのです。コンテクストの理解は、すぐに役立つような短期的利益をもたらすだけではなく、長い人生を生きる上でも大切であることを漱石は身をもって示した。そういうことを読者のみなさんに知っていただけたらと思います。

漱石は、江戸最後の年である一八六七年に生まれ、明治維新の動乱の中で思春期から青年時代を過ごしました。一方、現代の新型コロナウイルスは、第二次世界大戦以来の大混乱を世界中にもたらしました。漱石は、先の見通しがたい混迷の時期に生きた人です。それゆえ彼の人生や思考の足跡を追うことは、ライフスタイルの変更を迫られる可能性が高いコロナ時代を生きるわれわれにとっても、さまざまな示唆を与えてくれるでしょう。

コンテクストの普遍的な重要性については後半のII部で触れますので、前半のI部ではまず、コンテクストの意味について説明しましょう。

コンテクストとテクスト

そこでまたひとつ、みなさんに問いを提示します。

「ぼくは、タヌキです」と、唐突に口走る人間が、あなたの眼前にいます。さて、あなたは、この人は何を言っていると考えるでしょうか。

自己紹介の一種？

何かの妄想に駆られた者の常軌を逸した発言？

この言葉は、ある会話の一部でした。その会話を再現すると以下のようになります。


「ぼくは、タヌキです」

「私は、キツネ」

「ぼくは、モリだ」

これはどんな会話でしょうか。やはり、何かの告白？　あるいは、自分を何かに喩えている？　それとも、学芸会の役決め？（それにしても、森の役とは、ちょっと哀れを催します）
どれも、もうひとつしっくりとこない解釈です。
ヒント。これは、特別の人が特別の場所で交わす会話ではありません。日本中いたるところで、ある時間になると交わされるものです。そう、これは蕎麦屋での会話です。つまり、蕎麦の注文をしている。きつね蕎麦、たぬき蕎麦、もり蕎麦ということです。

なぜ、このような奇妙な会話をここで取り上げたかというと、この三人の会話の意味を考えることが、実は文学作品を読み解くことに直接結び付くと考えたからです。

相手の話の内容、あるいは文章の意味を理解するには、そこで使われている語の意味を把握する以上に重要なことがあります。それは、その文章や会話を成立させている「コンテクスト=文脈」を理解することです。会話や文章で使われている言葉に知らないものがなくても、このコンテクストの共有が成り立っていないと、文章や会話の意味がまるでわからないということにもなってしまいます。実際、右で挙げた会話で使われた単語で、読者のみなさんが意味を知らないものはひとつとしてなかったでしょう。にもかかわらず、この会話の意味をスムーズに理解できなかった方はかなりいたはずです。

忘れてならないのは、このコンテクストは多くの場合、文章や会話で示されることはむしろ少ないということです。蕎麦屋に入って、キツネだ、タヌキだ、モリだと注文するとき、いちいちここは蕎麦屋だということを確認などしないでしょう。

つまり、日常生活において、今はどういう状況で、どこにいるかなど、逐一明示してから会話することはありません。数年前からしばしば使われるようになった「空気読めよ」といった表現は、この明示されないコンテクストを理解するということに他なりません。

会話と同様に文章もまた、このコンテクスト抜きには語れないものです。そして、文学作品について語るとは、結局、その作品〈テクスト〉を特定のコンテクストと結びつけて語るということなのです。文学における特定のコンテクストとは、たとえば精神分析学的視点であり、あるいは社会学的視点、さらには記号論的視点などのことです。同じ作品でも、精神分析学的視点で読んだときと社会学的視点で読んだときとでは、当然その解釈は違ってきます。

文学について語る場合、人は、自分なりに作品の背景としてのコンテクストを設定し、それに作品を関連づけて語るのです。その解釈が説得的なものと感じられるのは、作品とコンテクストがなめらかに結びついているからです。また、作品についての新しい〈読み〉とは、今までにないコンテクストのもとで作品について語っているということです。

したがって、文学作品について語るには、まずこのコンテクストの設定の仕方を知らねばなりません。そのコンテクストの設定に関する多くの方法を知っていれば、作品についてさまざまな読み方が可能となり、またこれまでにない斬新な視点で作品について語ることができるようになります。

こうしたコンテクストの設定は、なにも文学について語る場合のみに限定されるものではありません。ある事件、事象について説明する場合、われわれはなんらかのコンテクストを設定して語ります。その際、その設定の仕方が巧妙であればあるほど、その説明は説得力を持つのです。

ポスト・トゥルース時代の文学研究

二〇一七年のアメリカのトランプ大統領就任、あるいはその前に起きたヨーロッパの国民投票におけるブレグジット可決以後、しばしば口にされるようになったのは、「ポスト・トゥルース（post-truth）」という言葉です。直訳すれば「真実以後」となりますが、トランプ前大統領が頻繁につぶやいた「フェイクニュース」という語に代表されるように、現在の社会において重要なのは、事実や真実よりも解釈であり、より多くの人を納得させる解釈が力を持ってしまうということをこの語は示しています。

たとえば、前回のアメリカの大統領選の勝者はトランプ前大統領ですが、総得票数ではヒラリー・クリントン候補が二〇〇万票以上彼を上回っていました。この数値に対してトランプ前大統領は、三〇〇万〜五〇〇〇万の未登録移民がクリントン候補に投票した結果だと指摘しました。

もちろん、この発言は何の根拠もないものでした。しかし、少なくとも、移民排除を訴えたトランプ前大統領の支持者たちには、その発言の真偽よりも、彼らの投票行動の正しさを支持する言葉として彼の発言は心に響いたはずです。すなわち、不法移民によってアメリカの大統領選が左右されるというゆゆしき事態がありえたかもしれないからこそ、トランプのような、移民に厳しい姿勢で臨む人物がアメリカの大統領に相応しいのだととらえられたのです。

二〇〇万以上の総得票数の差が、クリントン支持者やアメリカとは異なる選挙制度のもとで暮らすわれわれ日本人にとっては、トランプ候補の大統領選出の正当性への疑義につながるのに、トランプ支持者にとっては、その数値そのものがむしろ彼が大統領に選出されることの根拠になってしまうという矛盾した事態、それこそ、ある出来事は、その解釈によってまるで正反対の意味づけが可能だということの例証となるでしょう。

同様のことは、二〇二〇年の大統領選挙でも発生しています。今回の選挙ではトランプ前大統領は敗北し、民主党のバイデン候補が勝利したのですが、バイデン候補の勝利の要因の一つは、大量の期日前投票や郵便投票によるものでした。そうした投票方法がとられたのは、結果的に民主党に有利に働いたとしても、新型コロナ感染拡大の回避が主な目的でした。しかしトランプ前大統領は、それを選挙における不正の温床として非難します。期日前投票や郵便投票について、まるで異なる意味付けが、今回の選挙ではなされました。

このように、一つの出来事も、異なるコンテクストの設定によって、一八〇度違う相貌を呈することがあります。だからこそ、コンテクストの設定について学ぶことは、きわめて現実的意義があるのです。

ポスト・トゥルースの時代と言われる今日、われわれに求められるのは、真実や事実は重要ではない、あるいは真実や事実などない、といった諦観を身につけ、そこから巧みな語りによって、いかようにも人を説得できるという香具師の口上のようなものを習得することではありません。むしろそうした相手にまんまと騙されないようにし、どこに真実や事実があるのかを見極めるためにこそ、多様な語りの技法に習熟する必要があるのです。

また、コンテクストを見抜きそれを設定する能力は、単に人に騙されないため、あるいは人を出し抜くためといった消極的・否定的な目的実現のみに資するものでもありません。

先に挙げたトランプ前大統領の就任やブレグジットのような事態の背後にあるのは、民族間、宗教間、階層間、政治的スタンス間にある分断です。人が話すという能力を身につけたのは、人と人を分かつためではなく、共にあるためです。そして、人と人とを結びつけるためには、なにより異なる立場にある人間のバックグラウンド、すなわちコンテクストを理解することが不可欠です。

それと同時に、異なる立場にある人に何かを伝え、さらに相手から自身の主張への同意を得るには、相手に受け入れられやすい語り口で語る必要があります。これこそ、その場にふさわしいコンテクストを設定することにほかなりません。

では、いかにして、このコンテクストの設定方法を学べばよいのでしょうか。そここそが文学作品の出番です。古典とは、時代を超えて残る作品ですが、それはいつの時代も同じような読み方がなされていたことを意味しません。むしろ、時代に応じ、さまざまな読みを受け入れるような作品が古典なのです。

古典とは、古い読みを駆逐し、新しい読みを受け入れつつ今日まで生き残ってきたものですが、どんな解釈でも受け入れてきたわけではありません。自分に都合のいいだけの解釈、一見巧妙に見えて実は恣意的な解釈、つまりコンテクストの設定は、長い解釈の歴史を持つ古典というテクストによって、逆に弾き飛ばされてしまいます。だからこそ、古典に向かうことは、自身のコンテクスト設定能力の試金石となるのです。

そうした一筋縄でいかない作品に立ち向かうためには、われわれもさまざまな読みの技法に通暁する必要があります。本書で多様な〈読み〉の技法を提示するのはそのためです。種々の技法を駆使して古典作品の読解に立ち向かえる能力は、日常生活でも、多様なコンテクストを抱えた人々とのコミュニケーションにおいても役立つはずです。

本書は、文学作品や漫画、映画作品を読み解く際のコンテクストの設定方法について語るものですが、同時に、日常的な場面で役立つ実践的な意義を考慮したものでもあるのです。

I 部

多様な〈読み〉の方法論——コンテクスト理解のために

第1章 実証主義的方法——夏目漱石『吾輩は猫である』

以下で紹介するのは、夏目漱石の小説家としてのデビュー作でもある『吾輩は猫である』の冒頭の一節です。

吾輩は猫である。名前はまだ無い。

どこで生れたか頓と見当がつかぬ。何でも薄暗いじめじめした所でニャーニャー泣いて居た事だけは記憶して居る。吾輩はここで始めて人間というものを見た。然もあとで聞くとそれは書生という人間中で一番獰悪な種族であったそうだ。此書生というのは時々我々を捕えて煮て食うという話である。然し其当時は何という考もなかったから別段恐しいとも思わなかった。但彼の掌に載せられてスーと持ち上げられた時何だかフワフワした感じがあった許りである。掌の上で少し落ちついて書生の顔を見たのが所謂人間というものの見始めであろう。此時妙なものだと思った感じが今でも残って居る。第一毛を以て装飾されべき筈の顔がつるつるして丸で薬缶だ。その後猫にも大分逢ったがこんな片輪には一度も出会わした事がない。加之顔の真中が余りに突起して居る。そうして其穴の中から時々ぷうぷうと烟を吹く。どうも咽せぽくて実に弱った。是が人間の飲む烟草というものである事は漸く此頃知った。（中略）

ふと気が付いて見ると書生は居ない。沢山居た兄弟が一疋も見えぬ。肝心の母親さえ姿を隠して仕舞た。其上今迄の所とは違って無暗に明るい。眼を明いて居られぬ位だ。果てな何でも容子が可笑いとのそのそ這い出して見ると非常に痛い。吾輩は藁の上か急に笹原の中へ棄てられたのである。

『吾輩は猫である』は、一高時代からの友人である正岡子規が主宰した『ホトトギス』という俳句誌に掲載されました。しかしこの小説が『ホトトギス』に発表されたときには、子規はすでにこの世の人ではありませんでした。漱石は、『吾輩は猫である』の「中篇自序」で子規がロンドン留学中に鬱々としていた自分を叱咤激励してくれたと書いています。脊椎カリエスという苦しい病にありながらなお、自分を励ましてくれた子規に漱石は感謝し、そんな子規にこそ、この『吾輩は猫である』を読んで欲しいと考えたのでした。友への追悼と感謝の念を込めて、漱石はこの『吾輩は猫である』を書いたのです（夏目［1993］）。

「吾輩は猫である」という言明

この冒頭部分を詳しく見ていきましょう。まず目を惹くのは、題名にもなった「吾輩は猫である」という言明です。この冒頭の言明は奇妙です。

これは一種の自己紹介ですが、あまり意味を成していません。ふつう人は、このような自己紹介はしません。これは種としての自己について語っています。つまり、われわれがこれと同じ紹介をするとすれば、「私は人間です」ということになる。

こうした言明をする機会は人間であるわれわれにはまずない。あるとすれば、何らかの理由で、自分は周囲の人間から人間以下の扱いを受けていて、「私だって人間なのだからそれなりの扱いをしてくれ」という人権宣言のようなことをする場合です。あるいは自分の周りにいるのは実はみな宇宙人というようなSF的状況か、カフカの『変身』のように、自分は毒虫みたいな外見になったけれど、本当は人間なんだと主張するような場合でしょう。自分がどういう生物種なのかを人前で言明する機会は、きわめて特殊な状況下でしか発生しないのです。

では、人間に当てはめると無意味な「私は猫です」（猫ひろしという芸人がいますが）などという言明を小説の冒頭でする意味はどこにあるのでしょうか。

もちろん、この言明はまったく無意味なものではありません。言語とは差異の体系であると喝破したのは、スイスの言語学者フェルディナン・ド・ソシュールでした。ソシュールについては、次章で詳細に触れることにしますが、言語が差異の体系であるというのは、言語表現の意味は何らかの示差的な価値を持つところにある、簡単に言えば「違い」が表示されることです。われわれ人間が、自己紹介のときに「私は人間である」と言っても意味がないのは、周囲もみな人間であり、それによって他の人との差異を示せないからです。「私は夏目漱石です」などと名のることで、他者との違いを示そうとするのはそのためです。

ここで「吾輩は猫である」という言明が意味をなすのは、それを聞いているのがみな人間であり、猫でないからです。したがって、「猫」は種の名称であるにもかかわらず、示差的な価値を持つことになります。

漱石がこのように小説の冒頭を「私は猫である」という猫宣言から始めたことにより、この後の描写は、決定的な拘束を受けます。というのも、この小説は人間でなく猫の視点から描写された小説ということになるからです。

生まれたばかりの猫は、書生により、母親や兄弟から引き離されます。その書生の顔について、漱石は「第一毛を以て装飾されべき筈の顔がつるつるして丸で薬缶だ」と描写します。人間から見て、顔に毛がないのは当たり前ですが、猫からするとそれは異常である。だから人の顔を「薬缶」とたとえることになるのです。

異化

猫の視点で人間の顔を描写するときに漱石が使ったのは、実は一九一〇年代にロシア・フォルマリスムの学者らが命名した「異化」という技法です。ロシア・フォルマリスムの学者たちは、ドストエフスキーの小説を分析し、そこではリアリズム小説の特徴の一つでもある「異化（オストラネーニエ）」という手法が使われていると指摘しました。この「異化」とは、ある物事をそれが通常使われている呼称で呼ばず、それについて事細かに描写することで表そうとするものです。

たとえば、漱石は人間の鼻について、「顔の真中があまりに突起して居る」と書いています。鼻と書けば一語ですむところを、わざわざ顔の真ん中の突起物というような描写で代用します。猫にも人間にも鼻はありますが、両者の形状はかなり違う。特に人間の顔を初めて見た猫にとって、人間の鼻の「異様さ」はまず目についたはずです。そこで、単に「鼻」と書かずに「顔の真中があまりに突起して居る」と書くことで猫の衝撃を表そうとしたのです。

われわれ人間にとっては当たり前のことも、生まれたばかりの子猫にとっては、異様なものに思われるはずです。その異様さを伝えるために、漱石は、異化という技法を使いました。

ここで重要なのは、漱石は、ロシア・フォルマリスムを知らなかったということです。ロシア・フォルマリスムの本を読んで、この異化というのが格好の技法なので自分の小説にも使おうと思ったわけではありません。ロシア・フォルマリストが異化という技法について語り始めるのは、漱石が『吾輩は猫である』を発表したあとなので、それは不可能です。漱石はさまざまな西洋の小説を読んでいるうちに、自分でそういう技法を発見したのです。

ちなみに、漱石自身はこの『吾輩は猫である』で使った技法を「写生文」と呼んでいます。漱石がこの小説を「写生文」という技法で書いたことの意味は、単にこの小説が猫の視点で書かれたものだということに止まりません。実は、もっと重要な意味があると考えられます。その意味を解明するには、この章で紹介する実証主義的方法が重要になってきます。

実証主義的方法

では、「実証主義的方法」とは、どういうものなのでしょうか。

読んで字の如く、これは事実に基づき証明するという方法です。文学研究は英語で言えばhuman scienceの一部門です。つまりサイエンス（科学）であり、一九世紀以降、自然科学の進展に伴い実験科学が隆盛していくなかで、文学研究にもその余波が訪れました。しかし人文科学は、物理学や化学のように実験室という人工的空間で特定の状況を再現し、実験を繰り返すことができません。そこで、可能なかぎり実証的であろうとすれば、ゆるぎない事実＝エビデンスをできるだけ探し出し、そこからある見方を構築していかなければならない。事実の収集が、第一次作業として重要になるのはそのためです。

では、文学研究におけるエビデンスとは何でしょうか。たとえば『吾輩は猫である』は、先に触れたように、まず雑誌『ホトトギス』に掲載され、その後、大倉書店から三冊に分けて出版されます。『吾輩は猫である』は、雑誌や本という物質的実在として存在しているのです。そこで雑誌に掲載されたときと単行本となったときで、違いはないかを調べることができます。違いがあれば、その違いから、作品についての作者の意図を類推することが可能になるかもしれません。

また、実際に本として存在するわけですから、その物質的特徴について調べることもできます。たとえば装丁であるとか、あるいは挿絵の特徴とか、挿絵と本文の関係などを調べる。さらに本は商品ですので、値段を調べることもできる。値段を調べれば、漱石の本を買ったおおよその購買層を類推できます。

しかしこうした事実の探査において、まず注目されるのは、作家自身です。『吾輩は猫である』という作品の背後にいる、夏目漱石という実在した人物について事実を収集する。『吾輩は猫である』が書かれたとき、漱石はどういう状況にあったか、その作品が書かれるまでに漱石は何をしていたかなどを調べることが求められます。

そうして明らかになった事実と『吾輩は猫である』という作品とを引き合わせてみる。そうすると、『吾輩は猫である』という作品のこの部分は、漱石自身の人生のこういう経験と結び付いているなどということが言えるようになります。

実証主義的方法をこのように理解したところで、漱石の人生経験と『吾輩は猫である』という小説の結びつきを考えてみることにしましょう。

ここであらためて考えてみたいのが、なぜ漱石は、猫の視点から語るという特異な設定にしたのかという問題です。

夏目漱石という人間

猫の視点で語るという漱石の手法は特異ですが、それは彼の発明によるものではありません。『吾輩は猫である』でも触れられているように、一九世紀ドイツのE・T・ホフマンという作家が、『牡猫ムルの人生観』という小説ですでに採用しているものです。

しかし、この『吾輩は猫である』の語り手の猫は、ホフマンの小説にはないある特徴を持っていました。それは、この猫が捨て猫だったということです。作家漱石の誕生を告げる記念碑的作品において、漱石はあえて捨て猫の視点で小説を書いた。そこには、なにか特別の意図があるのではないかと考えられます。

では、どんな意図があったのか。それを漱石自身の人生経験と結びつけ、そこから彼の創作意図を析出してみましょう。

漱石はこの『吾輩は猫である』を書くまで、どのような経験をしていたのでしょうか。

夏目漱石は、慶応三（一八六七）年二月九日（旧暦一月五日）に、江戸牛込馬場下（現在の新宿区喜久井町）に生まれました。本名は夏目金之助。父・夏目小兵衛直克と母・千枝の五男三女の末子でした。父の直克は漱石が生まれたときすでに五一歳、母の千枝は四二歳。千枝は、「こんな年歯をして懐妊するのは面目ない」と言ったといいます（夏目［1994］）。

日本女性の平均寿命が九〇歳に近づいている今日、四二歳は人生の半分も終えていない年齢であり、晩婚化の進む昨今、四〇歳を過ぎて出産する女性も少なくないでしょう。しかし明治三五（一九〇二）年に発表された統計によると、当時の日本人の平均寿命は男性が四二・八歳、女性が四四・三歳でした。昭和一〇（一九三五）年の新聞に「老婆、溝に落つ」という見出しがあり、（四二）と記されていたといいます（加賀［2003］）。そうした年齢観から見ると、心ない言葉にも聞こえる漱石の母・千枝の言葉も、もっともだと思われるかもしれません。

夏目漱石こと夏目金之助は、生後すぐに里子に出されます。母親の千枝が高齢でお乳の出が悪かったからだとされますが、漱石の里子の先は、古道具屋とも八百屋とも言われています。また、里親から引き取られた直後に再びかつて夏目家の書生をしていたという塩原昌之助・やす夫妻のもとに養子に出され、一歳で塩原金之助となります。

漱石は養子に出されたものの、そのまま塩原家で育てられることはありませんでした。養父の昌之助が外に愛人を持ったことで夫婦関係がこじれ、漱石が七歳のとき、養母のやすは漱石を連れて漱石の実家の夏目家に戻ることになります。その後も夫婦関係は修復されることなく、ついに塩原夫婦は離婚してしまいます。その結果、漱石は夏目の実家で育てられることになるのですが、姓は塩原のままでした。

漱石が二〇歳のとき、長兄の大助と次兄の栄之助直則があいついで結核によって亡くなります。二人の息子を失ったことで、父・直克は、漱石の夏目家への復籍を考えます。漱石のすぐ上の四男は幼くして亡くなっており、夏目家の男子は実質四人。漱石は塩原姓のままであったため、上の二人が他界して、夏目家の男子は三男の和三郎直矩のみとなりました。跡取りがいなくなることを怖れた父・直克は漱石の復籍を望みます。しかし簡単には実現せず、夏目家が塩原昌之助に、漱石が塩原の家にいた七年間分の養育費として二四〇円を払うことで、ようやく復籍が決まりました。

頭脳明晰だった漱石は、東京帝国大学に進学し、卒業後、松山の愛媛県尋常中学校、後の松山中学に赴任します。松山は後の『坊っちゃん』の舞台となりますが、漱石は松山になじめなかったようで、翌年には熊本第五高等学校に転任してしまいます。

このとき漱石は、貴族院書記館長・中根重一の長女・鏡子と見合い結婚し、新婚生活を新しい任地の熊本で送ることとなります。しかし、それはハネムーンと呼びうるような甘いものではありませんでした。体調不良、子どもの流産などが重なり、鏡子夫人は川に投身自殺を図ります。幸い土地の人に助けられて事なきを得ましたが、その後も彼女はヒステリー症状を見せたりします。漱石自身の資質もあいまって、熊本で新たに築いた家庭は、必ずしも心安らげるものではなかったようです。

明治三三（一九〇〇）年、漱石はイギリスに留学します。そこで彼は「神経衰弱」を悪化させ、有名な「夏目狂セリ」という電報がロンドンから文部省宛に発信されます。

帰国後の漱石は、熊本第五高等学校、東京帝国大学、そして第一高等学校の講師となります。特に帝国大学では、学生に人気のラフカディオ・ハーンの後任で、学生たちから授業をボイコットされるなど苦労します。この間、断続的に「神経衰弱」に苦しみ、日本の精神医学のパイオニアでもある帝大医科教授・呉秀三の診察も受けています。この苦難の時期に高浜虚子のすすめもあって書いたのが『吾輩は猫である』でした。

こうした漱石の人生経験と、『吾輩は猫である』の語り手の猫を結びつけると、どうなるでしょうか。

漱石は生後すぐに里子に出され、里子から戻って間もなく養子に出されます。養子に出されたものの、養父母の不仲から実家に戻り、さらに二〇歳になって相次いで兄が死んだことを契機に夏目家に復籍するという経緯は先に記した通りです。また、結婚後は妻のヒステリーに悩み、留学先のロンドンでは「神経衰弱」になるまで精神的に追い詰められてしまいます。日本に戻ったときには、親友・正岡子規も鬼籍に入っていました。

このように、どこにあっても安住の地を見いだせない孤独な漱石の姿は、生まれてすぐに親兄弟から引き離され、河原に棄てられた『吾輩は猫である』の猫の境遇に反映されているとみることができます。捨て猫の視点で人間世界を描こうとしたのは、自分自身がこの捨て猫のような存在であり、自分が「神経衰弱」の症状に苦しめられるのは不幸な生い立ちによるのではないか。ならば、あえて自分を捨て猫の位置において自分を見捨てた人間世界を描いてみようではないか。そう漱石は考えて『吾輩は猫である』の構想を得たと考えられるのです。

このように、漱石の人生経験から作品の成立やその意図を確定しようとするのが、実証主義的方法です。捨て猫という語り手と作家漱石を結びつけることは、伊豆利彦も『夏目漱石』（新日本新書）で指摘していますが、ここではもう一つ、新しい視点を提示しておきましょう。

漱石が自身の処女小説において捨て猫という視点を導入したのは、自身の人生を反映させたことによるという解釈は、説得的なものです。しかしながらそれ以上に重要なことは、この小説の最初の言明「吾輩は猫である。名前はまだ無い」にあります。

名前をめぐる小説

「吾輩は猫である」という一般的な規定しか述べていないこの言明が意味をなすのは、冒頭でも述べたように、本の読み手はみな人間であり、だからこそ「猫」という一般名詞による自己規定でも、示差的価値を有するからです。

その直後に「名前はまだ無い」と続くことに注目してみましょう。これは何を意味しているのか。人間に混じって、人間の言葉を解する者として登場する限りにおいては、「猫」という言葉は、他ならぬこの猫を指すものとして、ほぼ固有名詞として機能していたと言ってよいでしょう。

しかし、他の猫たちと交わったとき、「猫」という呼称は途端に意味を失います。実際、『吾輩は猫である』の「一」で、なんとか苦沙弥先生のところに拾われた「猫」は、「車屋の黒」という猫に出会った際、「吾輩は猫である。名前はまだ無い」と自己紹介すると、「何猫だ？」猫が聞いてあきれらあ」と一笑に付されてしまいます。同じ種の猫に向かって、「吾輩は猫である」と言明しても無意味だからです。これは、漱石の経験に則して考えることも可能です。漱石がロンドンに留学した際、イギリス人に向かって私は日本人であると言明することは、意味を持ち得たでしょう。しかし、同じことを日本に戻ってから言っても意味はありません。

では、日本では、漱石は自身をなんと紹介したのでしょうか。

そこで想起せねばならないのは、漱石は生涯少なくとも三つの名前を持ったということです。まず生まれてすぐに夏目金之助という名を与えられます。しかしその一年後には、塩原金之助と姓が変わり、さらに二一歳になって夏目家に復籍し、夏目金之助に戻ります。そして作家としてデビューしてからは、夏目漱石というペンネームを使いました。

この漱石というペンネームも、もとは正岡子規が九〇あまりある称号の一つとして使用していたものでした。漱石がその事実を知ったうえで、漱石という名を自身のペンネームとして採用したかどうかはわかりません。ただ、漱石がその号のパイオニアではないことは事実のようです。

漱石自身、あるときは金之助であり、塩原であり、夏目であったというように、複数の名前を持っており、その複数の固有名詞に応じて自分が何者であるのかというアイデンティティも拡散していた。そうした漱石の経験が、この『吾輩は猫である』にも反映されていると考えられます。

実際、この小説には「猫」が何者であるのかというだけでなく、名前をめぐるエピソードがいくつも出てきます。迷亭君が西洋料理店で、実在しない「トチメンボー」を注文すると、ボーイは困惑しつつも、「今日はあいにくトチメンボーの材料が手に入らない」と答えたという話や、苦沙弥先生が自分の妻を「オタンチン・パレオロガス」と呼び、その意味を問う妻に向かって意味はないと答えるエピソードなど、名前をめぐるエピソードが度々登場します。

その意味で、『吾輩は猫である』は、名前をめぐる小説、換言すれば、名前とその名前により名指された個物との関係を問うた小説とも言えます。そこに塩原金之助であり、夏目金之助でもあった作家漱石自身の人生経験が映し出されているとも読めるのです。

第2章 記号学

前章では、実証主義的方法をご紹介してきましたが、この章では、実証主義とは正反対の方法ともいえる記号学について考えていきたいと思います。

記号学には大きく分けて、「プラグマティズムの祖」と呼ばれるアメリカの哲学者チャールズ・サンダー・パースに由来するものと、「近代言語学の父」と呼ばれるスイスの言語学者フェルディナン・ド・ソシュールに淵源を持つものの二つがあります。両者を区別するために、前者を「記号論（セミオティックス）」、後者を「記号学（セミオノロジー）」と呼ぶこともあります。いずれも、記号（シーニュ）を対象とした研究方法ですが、では、そもそも記号とはいかなるものでしょうか。

結論からいうと、記号とは、何かを代理＝表象するものと言えます。パースは、記号を三つの観点から分類し、その下位区分としてさらに三つのカテゴリーを設けました。つまり、九つの記号に分類したことになります。なかでも最も有名な分類がイコン、インデックス、シンボルの三つです。記号と対象がある面で類似しているのがイコン記号です。たとえば肖像画という記号は、その対象である絵のモデルとなった人のイコン記号と言えます。インデックス記号は、事実上の対応関係が認められるものです。たとえば怒りの表情は、その人物の怒った気持ちを表すものです。そしてシンボル記号は対象と記号が慣習的に結び付いたものであり、言語記号がその例です。

こうしたパースの記号論に対して、現代の批評を考えるうえでより重要なのは、ソシュールの記号学です。というのも、ソシュールが提示した記号の概念は、われわれがイメージする言語についての考え方に根本的な変更を強いるものであったからです。

言語が現実を作る

一般的に、言語はある対象の代理物として機能するものと考えられます。しかしソシュールは、そうした言語観はある言語体系の成立後に可能になるもので、本来の記号は、一方に言語があり、他方にその言語が指示する対象があるというようなものではないとします。

たとえば、近所の犬が子犬を生み、その子に「ポチ」という名前を付けたとします。現実に子犬が生まれたからポチという名前、つまり言葉が必要になったのであり、その逆ではありません。しかし、言語とは現実に存在する事物の一つひとつに与えられたレッテルのようなものだというこうした見方を「言語名称目録観」と呼んで、ソシュールは否定しました。

この言語名称目録観は、先の子犬の例で見たように、われわれの日常生活においては、有効なものと思われます。しかし、言語の根本的機能、そしてその発生を考えたとき、妥当な見方ではありません。では、ソシュールは言語をどのようなものと見なしていたのでしょうか。

実はソシュールは、言語によって現実が生まれる、あるいは言語と現実は同時発生的だととらえていました。そんな馬鹿な、と思われるかもしれません。もしそうした見方が正しいなら、「カレーライス」と言葉にすれば、目の前に現実のカレーライスが現れるということになります。もちろん、言語が現実を作るというのは、そのようなことではありません。

では、それは何を意味しているのでしょうか。日本でのソシュール研究のパイオニアとされる丸山圭三郎は、その著作『言葉と無意識』でこんな例を挙げています。

蝶と蛾という昆虫がいます。フランス語では蝶はpapillonで、蛾は何というかといいますと、やはりpapillonです。もし、先の言語名称目録観が正しいのなら、フランスには、日本で蝶ないしは蛾と呼ばれる二種の昆虫のうち、どちらか片方しかいないということになります。しかし、日本人がフランスに行けば、蝶も蛾も飛んでいる様を見ることができます。

これはどういうことかというと、「蝶」と呼ばれるべき昆虫と「蛾」と呼ばれるべき昆虫が二種類いて、それにたまたま日本語で「蝶」や「蛾」という名を与えたというのではない、ということです。日本語で、蝶と蛾という二種の言葉が使われることで、二種類の昆虫がいるという世界観が作られた。逆にフランス語にはpapillonという呼称しかありませんから、日本人（日本語を母語とする者）が二種類の昆虫を見出すところで、フランス人（フランス語を母語する者）は一種類の昆虫しか見出さないということです。裏を返せば、言語が存在しないところでは現実は存在しない、あるいは認識不可能だと言えます。こういう意味で、言語が現実を作ると言ったのです。

人類学者のサピア&ウォーフも同様の指摘をしていますが、ソシュールのオリジナリティは、むしろ、言葉の持つ意味を規定したことにあります。

関係性としての言葉の意味

ソシュールは言語を異なる二つの側面の合成物と考えました。音や表記の仕方を表す「シニフィアン（能記）」とその概念を示す「シニフィエ（所記）」です。たとえば「木」という日本語は、kiという音声により、植物の「木」というイメージと概念を与えているということです。問題は、いかにしてこのkiという音で「木」という概念を示すのか、もっとわかりやすくいうと、言語における意味とはいかなるものかということです。

ソシュールは、その説明を関係性という視点で行いました。意味の規定において関係性という視点を導入した点が画期的だったのですが、言語の意味を次の二つの関係性の観点から説明しています。

一つめは、同一言語内の他の語との関係性という点です。たとえば、日本語の「兄」は、親を同じくする子どものなかで、男で年長の子という意味で使われますが、この「兄」がそうした意味を持つのは、もともと「兄」にそういう意味が込められているからではありません。「兄」に対して、性別の違う「姉」「妹」という語がある一方で、長幼の違いを意味する「弟」「妹」があることによって、男で年長という意味が出てくるのです。

だから、もし日本語が変化して、「弟」「妹」が使われなくなれば、英語のbrotherと同じように、「兄」には男の子という意味しかなくなります。つまり、「兄」の意味は「兄」という語に内在しているのではなく、その周囲に「姉」「弟」「妹」という語があることによって成立するということです。これが一つめの関係性です。

二つめは、その語が使われるコンテクストにおける他の語との関係性です。たとえば、「バカ」という言葉があります。これは、どういう意味で使われる言葉でしょうか。相手を罵倒する、あるいは相手の知的能力の低さをあげつらう言葉？　たしかに、そういう意味でも使われますが、むしろわれわれが日常的に使うのは、もっと違う意味ではないでしょうか。

たとえば一組のカップルがいて、男が女に何か冗談を言い、それに対して女性がちょっと甘えた言葉で「バカ」と言うとします。この「バカ」は、決して相手を罵倒するものでも、その知的能力を問題にする言葉でもありません。だから、女性から「バカ」と言われた男は、怒るどころかまんざらでもないような顔をしてにやけている。むしろ、こうした場合に怒る方がどうかしています。この「バカ」は、親愛の情を示すために使われる言葉だからです。つまり、「バカ」という言葉が、どういう意味を持つかは、その言葉が語られるコンテクスト＝文脈に依存するということです。

ソシュールはこのように、言葉には固定した意味が内在すると考えられていた見方を見事に覆し、ものごとの関係性において言葉の意味を考えるという新しい視点をもたらしたのです。

ある言語内の、あるいはあるコンテクスト内の関係性を見るという視点が、後の構造主義の出発点にもなったのですが、記号学は、構造と関係性という視点で作品を見るという、それまでにない文学作品の解釈法を提示したのでした。

これは先の章で触れた、作品を作者に還元してとらえるという実証主義的方法とは全く異なるものでした。記号学においては、作品の意味をその背後にいるとされる作者へと遡って考える必要はなく、むしろ作品全体を一つの構造体ととらえ、そのなかで語と語、文と文などの関係性という観点からその意味を導き出せばいいわけです。

ところで、「関係性を見る」と一言で言いましたが、それは具体的にはどのようなことを意味するのでしょうか。関係性とは、個々の要素を孤立したものとして扱うのでなく、他の要素の関係、つまりは結びつきを見るということです。

たとえば、ここに鉛筆があるとします。鉛筆はふつう、筆記用具として使用しますから、鉛筆の意味は、ものを書くことにあると考えられます。しかし、その鉛筆を背中にもっていって、かゆいところにこすりつけたら、これは一種の孫の手のようなものとして使われたことになる。この場合の鉛筆は筆記用具ではなく、孫の手の代用品として機能しているということになります。つまり、鉛筆の意味は、それが紙と結びつくのか、背中と結びつくのかによって違ってくるのです（背中に字を書くということもあり得るのですが）。

ものの関係性とは、あるものが他のものと結びつき、どのように機能するかを見ることを意味します。したがって、記号学とは、機能主義的視点で物事をとらえることとも言えます。

こうした記号学＝機能主義的方法は、作者が誰か明らかな近代文学の作品だけでなく、作者が不明・未詳の古典的作品や、そもそも作者を特定することが困難な民話・昔話の分析において、より効果を発揮しました。

「一寸法師」と「シンデレラ」

旧ソ連の民俗学者にウラジミール・プロップという人がいます。プロップは、一九二〇年代にロシアの民話を研究し、その成果を『昔話の形態学』という本に著しました。そのなかでプロップは、民話の個々の内容や登場人物が違っても、その機能が共通であることを指摘しています。

その共通の機能は三一個あって、それが異なる話で同じ順序で現れるというのです。そのうちのいくつかを紹介すると、家族の成員の不在、主人公に課せられる禁止、禁止の違反、敵対者による加害、主人公の出立、贈与者（補給者）による主人公への試練、呪具（助手）の獲得、敵対者との格闘、主人公の勝利、主人公の帰還、主人公の変身、主人公の結婚といったものです。プロップが分析したのはロシアの民話ですが、この図式は他の民話にもあてはまる、かなり普遍性が高いものです。

ここでは、日本の昔話の「一寸法師」とシャルル・ペローやグリム兄弟の童話、むしろ今日ではディズニーのキャラクターとして有名な「シンデレラ」を例にとり、プロップの図式を多少変形して、この二つの異なる物語の共通の構造・機能を抽出してみましょう。

まず、注目すべき共通点は、いずれの主人公も、異常性があることです。一寸法師は名前の通り、一寸つまり三センチほどの身長しかありません。それに対し、シンデレラは、灰被りです。継母たちによっていじめられベッドで寝ることも許されず、竈（かまど）のそばで眠らざるを得なかったため灰まみれになった。それで灰被りと呼ばれたのでした。ちなみに英語名のシンデレラではわかりませんが、シンデレラのフランス語名は「サンドリヨン」で、サンドリヨンの「サンドリ」は、フランス語で灰を意味する「サンドル」に由来します。

そして両者とも、家を出立します。一寸法師は武士になるために京を目指し、シンデレラはお城での舞踏会を目指して出立します。

また、そこに敵対者が登場する点も共通しています。この点はプロップの指摘の通りです。シンデレラは、継母や姉たちを欺かねばなりません。さらに、一寸法師は、鬼と対決せねばならず、めに魔法使いの手助けにより、美しいドレスや南瓜の馬車、猫の馬、ネズミの御者を手に入れます。これはプロップの指摘する「贈与者による呪具」ないしは「助手の贈与」にあたります。一寸法師では、贈与者は敵対者でもある鬼であり、呪具は打ち出の小槌になります。この呪具および助手の獲得は、シンデレラでは敵対者、つまり継母や姉を出し抜く手段であるのに対し、一寸法師では敵対者に勝利した結果手に入れられるものという違いはありますが、両者ともめでたく結婚するという結末を迎えます。

一方、シンデレラと一瞬法師には、違いも見られます。それは、結末の迎え方です。一寸法師は鬼を退治して打ち出の小槌で大きくなると、すぐにお姫様と結婚し、結末を迎えます。しかしシンデレラはそうなりません。継母や姉たちを出し抜いて、お城での舞踏会に参加し、王子の心をすっかり魅了し尽くしても、すぐに結婚には至りません。シンデレラは、二日も続けてわざわざ家に帰ります。一二時を過ぎるとみすぼらしい灰被りに戻ってしまうことを恥じてというのなら、なぜガラスの靴をもって王子がシンデレラ探しに乗り出したときは、灰被りの姿のまま王子の前に姿を現したのでしょうか。

シンデレラにおいて大切なのは、王子がシンデレラを見つけ出したというフィクションです。フィクションと言ったのは、実際はそうでないからです。事実、舞踏会に出かけていったのは、シンデレラの方なのですから。しかも、魔法使いの手を借りてまでして。そうした策略を用いて、シンデレラは王子の気持ちを籠絡したわけですが、そのことを隠蔽するためにも、いったん家に帰って王子にシンデレラを捜させる必要があったのでした。

さらに言えば、一二時という門限があるというあたりも男心の機微を突いた作戦です。だから、シンデレラはずるいと言いたいのではなく、それは女性が従属的地位にあったということを表していると考えられます。こうしたシンデレラに関する批判的読解は、フェミニズムの立場から若桑みどりが展開しています（若桑［2003］）。フェミニズムに関しては後に触れますので、ここでは主人公の性差が、一寸法師とシンデレラの結末の違いの原因であったと考えられるということのみ指摘しておきます。

このように、記号学的方法は、作者の明瞭でない昔話の分析に有効ですが、もちろん作者の明らかな作品の解釈にも役立ちます。

『巨人の星』と鼻の記号学

最後に分析の対象とするのは、小説ではなく、漫画です。私と同世代の男性ならば、少年時代にほぼ誰もが見たであろう『巨人の星』という漫画を取りあげ、記号学的方法で読み解いていこうと思います。

『巨人の星』は、元巨人軍の名三塁手・星一徹を父に持つ星飛雄馬が、父が果たせなかった巨人軍のスター選手になるという夢を実現するため日夜努力し、ついにその夢を実現するまでを描く、いわゆるスポ根漫画の走りといってもよい、全一九巻の長編漫画です。

昨今の少年漫画雑誌に掲載されるスポーツを主題とする漫画が、特に試合の場面ばかりを描くのに対し、『巨人の星』ではもちろん野球が中心なのですが、主人公・星飛雄馬をはじめとする登場人物の恋や友情などの日常生活も細かく描かれています。野球選手としてだけでなく、飛雄馬が人間的にも成長していく様子は、さながら主人公の成長の過程を描くビルディングス・ロマン（教養小説）といった趣きがあります。

スポーツ漫画の定番らしく、飛雄馬の前には、何人ものライバルが登場します。そのなかでも飛雄馬がまだ小学生の頃から対戦し、プロ選手になっても、かたや巨人のエース、かたや阪神のクリーンナップとして戦う花形満は、特別の存在です。そしてもう一人重要な人物が、飛雄馬の高校時代からの無二の親友であり、同じ巨人に入団し、キャッチャーとして飛雄馬の球を受け続けた伴宙太です。彼は、飛雄馬が考案した大リーグボール1号と2号誕生の影の功労者であり、この漫画の最も重要なバイプレイヤーと言ってよいでしょう。

先に挙げたプロップの図式に当てはめると、花形満が敵対者であり、伴宙太が贈与者ないしは助手ということになりそうです。「なりそう」と言ったのは、この漫画にはこのストーリーとは別のレベルの人物関係が存在するからです。では、別の人間関係とはどのようなもので、それはいかにして作り上げられているのでしょうか。

ここで注目しなければならないことは、『巨人の星』が漫画であって、小説ではないということです。つまりそれは、文字で書かれた要素以外に、絵が存在するということです。漫画の絵の持つ記号性にはじめに着目したのは手塚治虫ですが、さらに漫画を記号学的方法で読み解いたのは、『漫画原論』での四方田犬彦（四方田［1994］）でした。

四方田は、漫画における鼻の意味論を展開しています。少年漫画誌にラブコメという新しいジャンルを打ち立てた『翔んだカップル』という画期的作品において、四方田は登場人物の鼻の形に着目します。この漫画のヒロインおよびヒーローは、丸っこい小さな鼻をしており、それまでの漫画の主人公が鼻梁のはっきりしたいわゆる高い鼻であったのと好対照をなしています。そうした鼻の形態になったのは、それまでの漫画がドラマチックな展開、いわば非日常的世界を描いていたのに対して、『翔んだカップル』は中学生の平凡な日常を対象にしたからだと言います。

ここで私が注目したいのは、この『巨人の星』に登場する人物の鼻の形です。登場人物の鼻の形に着目することで、ストーリーからは読み取ることのできない、別の人間関係が浮上してきます。

アマチュア的鼻とプロフェショナル的鼻

この漫画には、二つのタイプの鼻を持つ人物の系統があります（正確に言うと、どちらのグループにも分類できない異形の鼻を持った左門豊作という人物もいます）。その二つのタイプの鼻のグループとは、丸っこい鼻を持つグループと、鼻梁のはっきりした鼻を持つグループです。

丸っこい鼻を持ったグループに属するのは、星飛雄馬であり、花形満です。これに対して、鼻梁の通った鼻を持つグループに入るのが、飛雄馬の父親である星一徹であり、伴宙太であり、現役大リーガーながら、星飛雄馬を打倒するためにあえて日本の中日ドラゴンズに所属するようになったアームストロング・オズマでした。

鼻の形態に着目すると、ライバルと思われた飛雄馬と花形が仲間となり、他方、飛雄馬の無二の親友である伴宙太は、飛雄馬と対抗するグループに入ります。

これは、何を意味しているのでしょうか。丸っこい鼻は幼児性のなごりであり、さらには、アマチュアリズムというよりも反プロフェショナリズム、合理的な予測に基づき最大限の利潤を追求しようとする近代資本主義の精神に対抗する反＝近代主義を意味していると考えられます。逆に、鼻梁の整った鼻は、大人らしさとプロフェッショナリズム、あるいは近代＝資本主義の精神を表しています。

星飛雄馬の行動は常に全力投球で、手抜きを知りません。それはプロになってからも変わることはなく、たとえば、星はシーズン中に花形満に大リーグボール1号を打たれます。花形以外にはまだ星の大リーグボール1号が有効なので、巨人の監督である川上哲治は、星を日本シリーズで起用する考えを星に伝えます。しかし星はこの通達を拒絶します。大リーグボール1号は、花形のような特訓をすれば誰もが打てる可能性がある球種であり、日本シリーズでその球種が有効であったとしても、それはその特訓がなされないだけのことで、お情けで通用するような球を使いたくないという理由です。

そもそも一度打たれただけで、そのボールの生命が失われるという考え方自体ナンセンスですが、それは、常に一回の対決がすべてという発想によるものです。これは一瞬の生命の輝きに人生の意味を見出そうとする祝祭的発想とも言えます。

星にとって花形らライバルとの対決がすべてであり、その瞬間に自分の全能力を投入しようとします。プロになった後も、野球は決して生きるたつき、つまり生活の手段ではなく、他の何事にも代えられない祝祭的時間・空間をもたらすものなのです。そうした発想は、野球選手としての長い人生を考えて行動すべきプロとしての意識に欠けると言ってもよいでしょう。

それは同時に、一時的な充実でなく、長い人生を考慮して行動を律するべきとする合理主義的発想、投下資本に応じた利潤、注がれた努力に見合う結果を求める資本主義の精神に明らかに反するものです。

花形もまた、大リーグボール1号を打つために決死の特訓をし、見事その魔球をホームランで返すのですが、その結果、全身の筋肉の裂傷や手首の複雑骨折という重傷を負い、そのシーズンを棒に振ってしまいます。花形の振る舞いは作品中で「特攻隊」にも喩えられますが、これもまた、一瞬にすべてを賭けるという星飛雄馬の姿勢と同じものです。

一方、こうした反プロフェッショナリズム的、反近代=資本主義的発想の星飛雄馬と異なる鼻を持つのが、飛雄馬の父星一徹であり、星の無二の親友伴宙太であり、アームストロング=オズマです。彼らの行動規範は、明瞭には描かれてはいないのですが、注目すべきは、一瞬にすべての意味を見出そうとする星飛雄馬の人生観に深刻な動揺をもたらしたのが、オズマであったということです。

シーズン終了後の日米親善野球でカージナルスの一員として来日したオズマは、巨人の星と対戦します。対戦後の二人はテレビで対談するのですが、そこでオズマは、星を自分と同じ「野球ロボット」だと指摘します。この言葉に星は精神的に大きく動揺します。飛雄馬は、野球以外の人生を知るべく行動を起こし、初恋も経験します。しかしこの恋は、相手女性の骨肉腫による死という悲劇的結末を迎え、星は野球を棄てる寸前まで行きます。

このように、オズマの登場によって、野球での一瞬の輝きのためにすべてを賭けるという星の生き方に、深刻な動揺がもたらされたのでした。そして注目すべきは、ストーリー上、星飛雄馬は精神的大打撃を受けたにもかかわらず、その鼻の描かれ方がまったく変化しないということです。

しかし、星飛雄馬が大リーグボール3号を創り上げたところから、星飛雄馬の顔に微妙な変化が訪れます。丸っこい鼻が、鼻梁の整った大人の鼻に限りなく近づいていくのです。打者の振るバットを避けて通るという荒唐無稽な球種を開発した星は、結果を重視するというそれまでにない行動を取るようになります。その証拠に、星は花形や左門のような永遠のライバルであるはずのバッターとの対決にも、特段の思いがないかのように振る舞います。

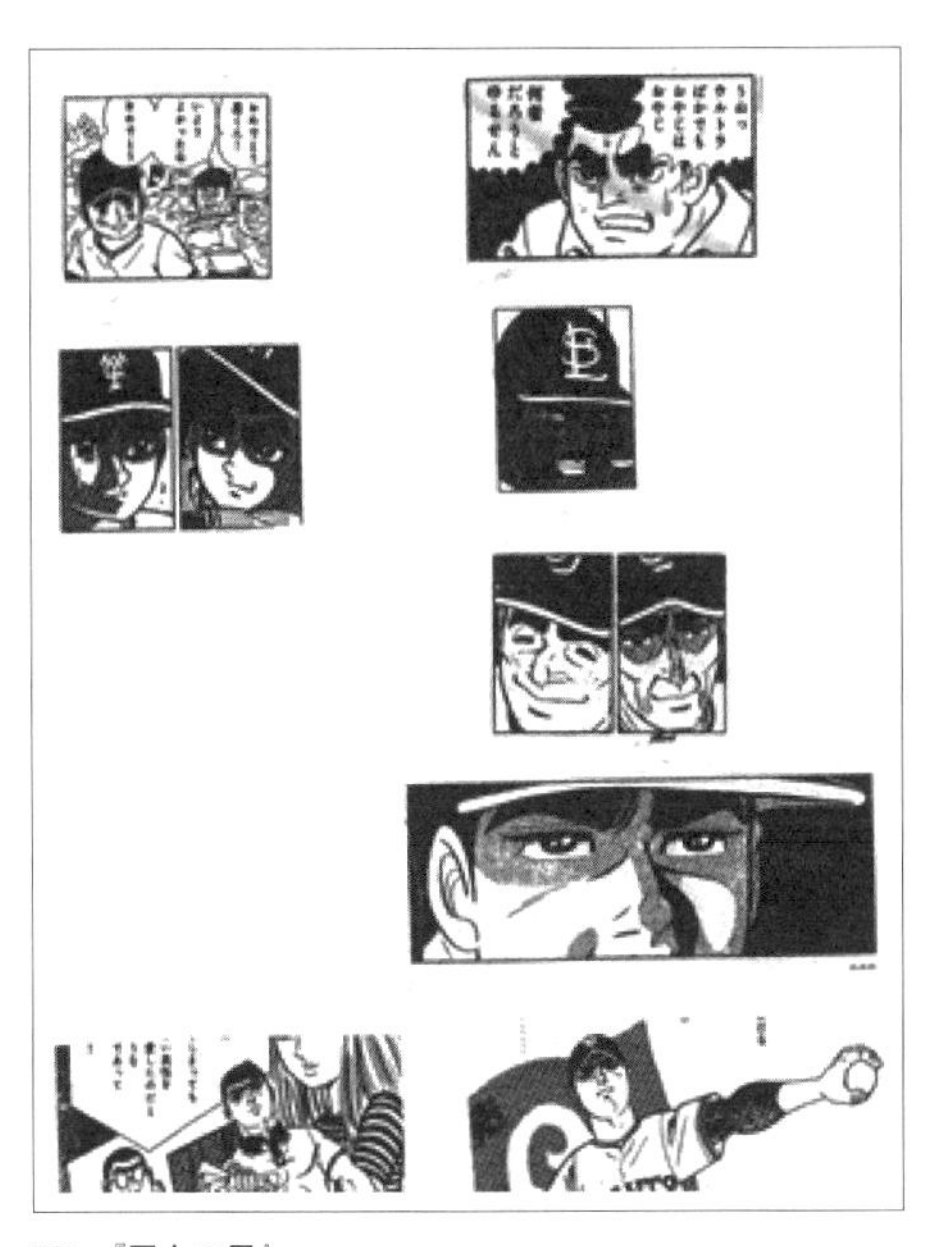

図1 『巨人の星』
一列目左＝星飛雄馬　一列目右＝伴宙太
二列目左＝星飛雄馬と花形満　二列目右＝オズマ
三列目右＝伴宙太と星一徹
四列目右＝鼻の描写が変化した星飛雄馬
五列目左右とも＝鼻の描写が変化した星飛雄馬
（出典：梶原一騎原作・川崎のぼる作画『巨人の星』講談社）

そしてその終局に、親友・伴宙太との対決があります。伴は、巨人から中日にトレードされ、中日のコーチに就任した飛雄馬の父・星一徹の弟子になり、スラッガーとしての才能を開花させてきました。飛雄馬は完全試合達成目前のラストバッターとして、その伴と対決するのです。重要なのは、飛雄馬がこの試合において完全試合を目指したことです。

かつて阪神タイガースからメジャーリーグに移籍した新庄選手が「記録でなく、記憶に残る選手」という名言を残しましたが、星は「記録を通じて記憶に残る」ことを目指したわけです。記録、つまり数字を残すということは、近代資本主義的発想の非常にわかりやすい指標と言えます。そして、こうした星の行動規範の変化が、丸っこい鼻から鼻梁の整った鼻への変化という形で示されているのです。

このように、記号学的視点を漫画の読解に導入することで、何がもたらされるのでしょうか。われわれは長編漫画を読む際、どうしてもそのストーリーに目を奪われがちですが、漫画が漫画である所以は、そこに絵が存在することにあり、その絵に注目することで、ストーリーとは異なる別の関係性が見出せます。

これは、小説の読解にも適用可能です。つまり、小説のなかのストーリーとは直接関係のないような場面の描写や登場人物の描写に注目することで、小説の持つ、ストーリーとは異なる別の側面が見えてくる。記号学的方法は、こうした多様な作品の読みを可能にするものなのです。

第3章 ナラトロジー

さて、この章では「ナラトロジー」または「物語論」とも呼ばれる方法について説明しましょう。ナラトロジー（narratology）とは、テレビのナレーションなどの言葉と語源的に同じで、ラテン語で「語る」という意味のnarroに、logy＝学問という語がくっついてできた言葉、つまり「語りについての学」ということです。

記号学について論じた前章で、民俗学者プロップの『昔話の形態学』に触れました。プロップ自身は、記号学という学問を知らなかったと考えられますが（初めて記号学という言葉を使ったのは、同じく前章で触れたソシュールです）、彼が記号学的方法を用いた先駆的研究者として評価されていたわけです。

この『昔話の形態学』は、ナラトロジーのパイオニアと言ってよいものでもありました。プロップ自身は、記号学的方法を用いようとか、ナラトロジーでロシアの昔話を解析しようと思ったわけではなく、後の人々が、プロップに自身の研究法の源泉を見出したのです。

つまり『昔話の形態学』は、ロシアの民話を個々の要素に分解したものにそれぞれ考察を加え、語りの分析を行ったという点でナラトロジー的実践というべきものでした。

ジェラール・ジュネットの物語分析

ナラトロジーは、古くはアリストテレスの『詩学』にまで遡ることができますが、今日のナラトロジーにおいて最も重要なのは、フランスの文学研究者であるジェラール・ジュネットによる物語分析です。ジュネットの『*Figure* III』と題された本の一章で、この本の大半を占めているのが「話のディスクール」と題された部分です。日本ではこの論考が『物語のディスクール』として訳出されて、ナラトロジー研究において非常に重要なものとされました。

主にプルーストの『失われた時を求めて』を分析したこの本で、ジュネットは、その後ナラトロジーで基本用語となる語句を作り、それに基づいて作品を分析していきます。

ジュネットの物語分析で最も重要なポイントは、同じ内容の話でも、語り方によって読者にまるで異なる印象を与えるということにあります。そこで彼はこの語り方に焦点を当てて論じています。ジュネットは、順序、持続、頻度、叙法、態の五つの項目を挙げて論じていますが、ここでは順序、持続、頻度を時間としてひとまとめにし、①時間、②叙法、③態という三つの論点を立て、それぞれの論点について、さらに三つあまりの観点から物語を分析します。

時間

まず、ジュネットが注目するのは、物語における「時間」です。時間といっても、この物語はどの時代の話だとか、いつ書かれたものかといったことではなく、物語のなかでの出来事の描写のされ方と時間の関係を問題にしています。具体的には「順序」「持続」「頻度」という三つの観点で、ジュネットは物語における時間を分析対象にします。

まず一つめの「順序」ですが、物語においては出来事を実際に発生した順番で語ることはほとんどありません。たとえば多くの推理小説では、冒頭で殺人事件が発生し、犯人捜しが展開されますが、その過程で犠牲者となった人物と犯人との関係が徐々に明らかになっていく。つまり、犯人と犠牲者は事件が起きる前になんらかの関係があったわけですが、それは物語においては後で語られます。

このように、作品のなかで後で発生したことが先に語られ、その前に起きたこと、つまり過去に発生した事柄の描写が後からなされる。これをジュネットは、「後説法」と呼びます。これに対して、これから起きることを先取りして語る方法を「先説法」と呼びます。

次に「持続」です。持続というとちょっとイメージしづらいでしょうか。ジュネットが使っているのは durée というフランス語で、これは「長さ」という意味でも使われますので、その方がわかりやすいかもしれません。作品において、ある出来事が描写される際、それを述べるのに必要な文章の分量つまり文章の長さとその出来事が現実に起きた際の、始まりから終わりまでに要する時間の長さの関係を分類したものです。

ジュネットは、この持続のパターンを四つに分類しました。すなわち、休止法、情景法、要約法、省略法です。

「休止法」とは、登場人物の目に映った光景などを描写するときの方法です。たとえば、登場人物が景色を見るときの、その景色の描写です。具体例を挙げて説明しましょう。

> 不図（ふと）眼を上げると、左手の丘の上に女が二人立っている。女のすぐ下が池で、池の向う側が高い崖の木立で、其後（その）が派手な赤煉瓦のゴシック風の建築である。そうして落ちかかった日が、凡て（すべ）の向こうから横に光を透してくる。

これは、この後で詳しく紹介する夏目漱石『三四郎』の一場面です（あらすじについては一九一ページ参照）。三四郎が美禰子と初めて出会うシーンですが、三四郎が三四郎池（当時は心字池と呼ばれていました）のほとりにいて顔を上げたときに、彼の目に映った風景の描写です。

三四郎は一瞬でこの景色を見たわけなので、彼が景色を見るのにかかった時間は限りなくゼロに近い。しかし、それを言葉で描写すると一〇〇字あまり必要となる。三四郎がその景色を見るのに要した時間はほぼ一瞬で、時間は経過していませんが、それを描写するのに時間（というより文章量）がかかるので、休止法と呼んだわけです。

次の「情景法」は、物語での経過時間とそれを描写するのに必要な文章の分量が一致する場合。たとえば、会話部分です。

「東京は如何(どう)です」
「ええ……」
「広い許(ばかり)で汚ない所でしょう」
「ええ……」
「富士山に比較するものは何にもないでしょう」

これも『三四郎』の一節で、広田先生と三四郎の会話です。二人の会話がそのまま文章化されているので、実際にこれを発言するのにかかる時間とそれを文章にするのに要する分量が一致しています。

「要約法」は、出来事や登場人物の経験について手短に語る場合に使われます。

けれども教室に這入(はい)って見たら、鐘は鳴っても先生は来なかった。其(その)代り学生も出て来ない。次の時間も其通りであった。三四郎は疳癪(かんしゃく)を起して教場を出た。そして念の為めに池の周囲(まわり)を二遍許(ばかり)廻って下宿に帰った。

これは大学に入った三四郎が講義を受けるために登校した一日の描写です。三行で一日の経験が要約して語られています。情景法と比べると、広田先生と三四郎の会話は、一分も満たない短いものですが、文章にすると五行要している。しかし、大学の講義に出た一日の記述は、それよりはるかに短く説明されています。

最後が「省略法」です。字義通り、登場人物のある期間の経験についての描写が省略されてしまう場合です。

夫(それ)から約十日許(ばかり)立ってから、漸く講義が始まった。

これは、先の三四郎の一日に続く箇所です。三四郎の過ごした一〇日間についての具体的な描写はなく、ただ「約十日」が経過したということで、三四郎の様子についての描写が再開されます。

付言するとジュネットは、この省略について、『三四郎』のように経過した時間が明示される場合とそうでない場合があると指摘しています。

こうした分類がなぜ意味をもつかというと、時間の長さに比して描写が長いところは語り手や作者が重点を置いていると考えられ、何が物語において重要なのかを知る一つの客観的根拠となるからです。しかし同時に、本来触れられるべき事柄が触れられない場合もあります。あえて言及しないことで、読者にその読み取りを求める、あるいは後の展開を読者に察知させないために触れないでおくこともあります。

物語の時間は、われわれの日常生活のように均質に流れているわけではありません。楽しいことをしているときは時間の経過が短く感じられ、退屈な時間は数分でも長く感じられます。それと同じように、物語においても描写に費やされる分量で、その箇所の重要性に濃淡があることがわかります。こうしたことを物語の読者は半ば無意識に読みとっているわけですが、ジュネットの分類は、読者が無意識に近いかたちで実行している類別を可視化しているとも言えます。

ジュネットが物語の時間に関して最後に指摘するのが、頻度です。頻度とは、繰り返しのことだとも彼は指摘しています。では、何が繰り返されるのか。それは、物語で発生した出来事について、何度それについて言及されるか、つまり出来事の描写が何回繰り返されるかによって、頻度の評価がなされるということです。

この頻度の評価は三つあります。単起法、反復法、括復法の三つです。

一つめの「単起法」とは、一つの出来事について一回だけ描写するという方法です。これは最も一般的な描写法です。

二つめの「反復法」とは、一つの出来事について複数回言及する方法です。そんなことがあるのかと思われるかもしれませんが、これは最近の小説、とりわけミステリーでしばしば使われる技法です。複数回描写されるといっても、同じことを繰り返すのではありません。ミステリーではたとえば殺人事件を描く際も、被害者の視点で描写した場合と加害者の視点で叙述した場合とでは、同じ出来事でも違う印象や見方が生じます。被害者の視点で事件を描写すると、加害者は人の命を奪う人非人となってしまいますが、加害者の視点で描写すると、殺人がどこかで共感を呼ぶような側面を持つものに見えてきます。反復法は、現代のミステリーでも非常に重要な技法です。

三つめの「括復法」は、複数回発生した出来事を一回で描写するというものです。以下が括復法の例です。


それから当分の間三四郎は毎日学校に通って、律儀に講義を聞いた。必修課目以外のものへも時々出席して見た。それでも、まだ物足りない。そこで遂には専攻課目にまるで縁故のないもの迄（まで）も、折々は顔を出した。然（しか）し大抵は二度か三度で已（や）めて仕舞った。一ケ月と続いたのは少しも無かった。

これは大学に通いはじめた三四郎の様子を描写した箇所です。三四郎は文科の学生ですが、他の専門の講義にも顔を出すということをしばらく続けたことから、そうした行動が反復されたことを一回の描写で表しています。括復法は、登場人物の習慣や性質を述べるのに便利な描写です。

こうした描写の分類が別の意味を持つのは、単起法で描かれた箇所が、反復法のような形で言及される場合です。たとえば、『三四郎』において、先に引用した三四郎と美禰子の三四郎池での出会いの場面で、美禰子の様子を見ていた三四郎はこう思います。

三四郎は慥（たし）かに女の黒眼の動く刹那を意識した。其（その）時色彩の感じは悉（ことごと）く消えて、何とも云えぬ或物に出会った。其或物は汽車の女に「あなたは度胸のない方ですね」と云われた時の感じと何処（どこ）か似通っている。三四郎は怖ろしくなった。

九州から上京する列車の中で出会った女と三四郎は、名古屋で同宿することになります。宿屋が三四郎とその女を夫婦と勘違いしたせいで、三四郎はその女と一つの蒲団で寝ることになるのですが、三四郎と女との間には一切の接触もなく夜が明けます。そして別れ際に三四郎は

「あなたは余っ程度胸のない方ですね」と言われてしまいます。

そのときのことを三四郎は美禰子を見ながら思い出したのですが、本来無関係な出来事を「度胸のなさ」という観点でまとめ上げている。つまり、単起法で描かれた箇所が実は呼応しており、反復法的側面も持つことになります。こうした描き方で、物語の主題が何かを示唆しているのです。

叙法

さて、時間の次にご紹介するのは、「叙法」です。この叙法はさらに、「距離」と「視点」という二つの側面から論じられます。

「距離」について論じる際、ジュネットはプラトンの『国家』で展開される議論から始めます。そして、語り手が物語を語る場合のその物語への介入度を、「距離」という言葉で表します。介入度とは、出来事をそのまま再現的（ミメーシス的）に語る語りと、要約的（ディエゲーシス的）に語る語りを両極にして評価されます。

ジェネットがプラトンの話から始めたのは、プラトンにおいて問題にされるのが演劇だからです。お芝居で登場人物が会話している場面は、再現的です。小説などの物語では、登場人物の会話をそのまま書いた箇所、先ほど情景法で挙げたような箇所がこれに該当します。それに対し、語り手が登場人物の経験について語る場合は、要約的です。

三四郎が東京で驚いたものは沢山ある。第一電車のちんちん鳴るので驚ろいた。それから其ちんちん鳴る間に、非常に多くの人間が乗ったり降りたりするので驚ろいた。次に丸のうちで驚ろいた。尤も驚ろいたのは、何処迄行っても東京が無くならないと云う事であった。

これは、上京してきたばかりの三四郎の様子を描写した場面です。三四郎は、路面電車の音に驚いています。三四郎は何度かその音を聞いて、路面電車の鳴らす警戒音に恐怖を覚えているようです。それを要約して一度にまとめて語っているので、ここは要約的と言えるでしょう。

叙法において重要な二つめの観点は「視点（パースペクティヴ）」です。視点とは、物語の描写が誰の視点でなされているかということを問題にするものです。これに関してジュネットは一九世紀末以来、長い研究の歴史があると言及しつつも、そこには叙法と態との混同があると指摘しています。そこで彼は、この視点の問題を「焦点化」という用語を使って説明を試みます。

この焦点化は、さらに大きく三つに分類できます。

一つめが、焦点化ゼロ。これは、語り手が全知の存在で知らないことがない場合で、「神の視点」とも呼ばれるものです。特定の視点に立つものではないので、焦点化ゼロということになります。たとえば『聖書』や『古事記』のような古典的な物語は、この焦点化ゼロで書かれています。旧約聖書『創世記』の「神は仰せられた。『光あれ。』すると光があった。」などというのは、一体誰が見ていたのかということになります。

二つめが、内的焦点化。これは、物語の特定の登場人物の視点から、出来事を描写する場合です。たとえば、第2章の実証主義的方法で取り上げた『吾輩は猫である』は、猫の視点から描写されています。内的焦点化のもう一つの特徴は、焦点化された人物の内面描写が行われる点です。『吾輩は猫である』の猫が「書生の顔を見」て「妙なものだと思った感じが今でも残って居る。第一毛を以て装飾されべき筈の顔がつるつるして丸で薬缶だ」というように、人間の顔を初めて見たときの猫の思いが、その内面に踏み込むかたちで描写されています。

内的焦点化には、さらに大きく三つの焦点化があります。まず内的固定焦点化で、特定の登場人物の視点からのみ描写が行われる場合です。次が、不定焦点化です。ジュネットはフローベールの『ボヴァリー夫人』をその例として挙げていますが、『ボヴァリー夫人』では初めシャルルの視点で物語が始まり、続いてエンマの視点へと移行し、再びシャルルの視点に戻るという流れです。最後が、多元焦点化です。これは、同じ出来事が異なる視点で複数回にわたり描写されるというもので、芥川龍之介の『藪の中』でそうした描写がなされていますが、現代のミステリーでも、この技法が使われる作品が数多くあります。

三つめは外的焦点化です。外的焦点化では登場人物の内面に踏み込むような描写はなされません。ジュネットはその例として、映画『マルタの鷹』で名高いダシール・ハメットのハードボイルド小説や、ヘミングウェイの『殺し屋ども』を挙げています。こうした推理小説やミステリータッチの小説では、登場人物の内面を描写しないので、発生した事件の真相について登場人物の考えを明示化しないですみます。そのおかげで、読者に真犯人について推理させることが可能になるわけです。

このように、ジュネットが「焦点化」と呼んだ物語における視点の問題は、作品の秘密を解き明かす際に非常に有効です。これについては、『三四郎』を詳しく取り上げた第9章で具体的に見ていくことにしましょう。

態

さて、三つの分類の最後が「態」です。態はフランス語ではvoix、これは「声」という意味の語でもあり、つまり物語において「声を出す人」ということで、語りに関する考察を意味します。

この態についてもジュネットは、「語りの時間」「語りの水準」「人称」といった三つの観点から考察しています。

一つめの「語りの時間」とは、物語に対する語り手の時間的関係のことです。単純化して言えば、語り手は、物語を過去のこととして回想するように語るのか、目の前で現在起きていることとして語るのか、あるいはこれから起こる未来の予測として語るのかの三つです。過去として語るのは後置的、現在のこととして語るのは同時的、未来だと前置的とされます。

実は、ジュネットはさらにもう一つあると言っており、それは手紙形式で書かれた書簡体小説などに見られるもので、「挿入的」と呼ばれます。手紙は、その書き手が体験したことを回想して書くという点で後置的ですが、手紙を書くという行為を物語のなかで実践しているので、その行為は物語のなかの現在となります。過去に現在が挿入されるということです。

二つめの「語りの水準」とは、語り手と、語り手によって物語られる世界との位置関係のことです。位置関係とは何かというと、語り手は、語られる物語のなかにいるのか、もう少しわかりやすくいえば、その物語の登場人物なのかどうか、ということです。先に挙げた『聖書』や『古事記』などは、その登場人物が語っているわけではなく、語り手は物語の外にいます。一方、『吾輩は猫である』の語り手は、物語のなかの登場人物（猫）なので、物語のなかにいるということになります。

最後にくるのが「人称」です。人称とは、一人称、二人称、三人称といった文法用語で、これまでのナラトロジーでも問題になるものでした。しかしジュネットは、一人称小説か三人称小説かという従来の区分は意味がないと言います。そして、三人称で書かれた小説も基本的には一人称小説だとみなします。というのも、三人称小説でも、語り手は自身の視点から語っているという意味で、「私」という限定した視点に立っていることになるからです。

このあたりになると、議論が錯綜してやや難しいと思われるかもしれません。しかし、こうした分析は、作品をよりよく読むために必要な手続きの一つとも言えるものなのです。

第4章　精神分析的批評

フロイトの精神分析

さて、ここでは、精神分析的批評についてお話ししようと思います。

精神分析とは、ジークムント・フロイトが創始した学問です。

フロイトは、現在のチェコスロバキア領モラヴィアの小都市、フライベルクに生まれます。フロイトが四歳のとき、一家はウィーンに移住します。幼い頃から優秀だったフロイトは、八歳でシェークスピアを読んでいたといいます。高校（ギムナジウム）でも首席を通し、ウィーン大学の医学部に進学すると、当時の医学界の権威であったブリュッケ教授のもとで神経生理学を研究します。

フロイトは大学に残り、研究者として生きようと思っていました。しかし、研究者は薄給であること、裕福だった実家が破産したこと、後にフロイトの妻になるマルトとの結婚にはお金が必要であったこと、さらにユダヤ人であったために大学でのポストを見つけるのが困難だったことなどから、大学に残ることを断念します。そしてウィーンでの開業を目指し、ウィーン総合病院で医師として働きはじめます。

フロイトにとって転機となったのが、奨学金を得てパリに留学する機会を得たことでした。一八八五年から翌年にかけて、彼は、当時の神経学の権威であるシャルコーのいたサルペトリエール病院に留学します。シャルコーは、それまで、子宮の病かあるいは仮病か、中世では「悪魔つき」と見なされていたヒステリーの症状が、大脳の神経障害によって発症する病気であることを豊富な臨床データで示しました。

シャルコーは催眠術による暗示作用によって、ヒステリー患者の示す四肢の麻痺症状などを大勢の聴衆の前でそのまま再現してみせたり、あるいはそれを消失させたりしました。ヒステリーが器質的素因で発症するものでないことを目の当たりにしたここでの経験が、後にフロイトが精神分析学を創始する端緒となったとされます。

やがてウィーンに戻ったフロイトは、開業と結婚という二つの目標を達成します。そして同時にウィーン公立小児病院の小児神経科医長の地位を得て、そこで神経病医としての名声を確立します。

フロイトは、コカインが爽快感や精力感を高めることに着目し、神経症の治療への使用を勧めますが、やがてその中毒性が明らかになると、厳しい非難を浴びることにもなります。しかし、開業によって実際に患者の治療にあたったフロイトは、ヒステリーが脳のどこかに原因があるというような器質的素因によるものではないことを確信していきます。

フロイトが精神分析学を創始するにあたって決定的契機となったのが、古くからの友人ブロイアーから、ヒステリー患者アンナ・Oの治療についての知識を得たことでした。ブロイアーは、アンナ・Oに催眠暗示療法を行います。催眠状態にあるときのアンナは、自身の異常な経験について語るようになり、とくにある症状が始まったときのことを詳しく話すと、彼女の症状が消えてしまうことを発見します。ブロイアーは、これを「催眠カタルシス」と呼びますが、フロイトは、この方法を自身の治療においても積極的に活用します。

その後、フロイトは、患者の額を軽く押さえて患者に質問し、それに答えさせる「前額法」という技法を用います。しかしそうした質問が、患者の自由な発話を阻害していると知ると、患者を長椅子に仰臥させてできるだけ安楽な姿勢を取らせ、頭に思い浮かぶことを自由に話させる「自由連想法」を編み出すに至ります。患者による自由な連想により患者の心的外傷（トラウマ）の起源に到達しうるとフロイトは考えたのです。これこそ、精神分析学の生誕を告げるものでした。

こうして精神分析学を創始したフロイトですが、彼の最大の業績は、やはり無意識の発見にあります。

無意識の発見

フロイト以前にも無意識という概念は存在していました。たとえば、無意識のうちにペンを持っていたとか、無意識に手が動いたとかというように、われわれも日常的にこの無意識という言葉を使います。しかし、われわれが日常使う無意識という語は、精神分析では前意識と呼ばれるもので、単に意識していないということでしかありません。

われわれはさまざまな欲望を持っています。しかしながらそれをすべて認識しているわけではない。たとえば、何かに熱中してご飯を食べるのを忘れていたということがあります。このときに感じる空腹感は、本人が気づく以前に存在していたはずですが、別のことに集中していてそれに気づかなかった。しかし、ふと注意がそれた瞬間、空腹感が意識の表層に上ってくるのです。

このように、その欲望は存在しており、たまたま意識に上らないだけで、何かきっかけさえあれば容易に認識可能な欲望は、無意識ではありません。フロイトの無意識の新しさは、無意識を抑圧された欲望として定義したことでした。抑圧された欲望すなわち無意識は、通常、本人は知ることができないものとされるのです。

では、本人すら知らない欲望を、精神分析家はいかにして知ることができるのでしょうか。フロイトの患者に、エリザベート・フォン・Rという女性がいました。この女性は、右大腿部の疼痛と歩行困難を訴えてフロイトのもとを訪れました。エリザベートのこの症状は、彼女の姉の夫、つまり義理の兄と散歩をしたことをきっかけに現れたものでした。彼女は、この義理の兄のことを愛しており、姉が死んだとき、これで自分が義理の兄の妻になれると思ったといいます。しかし、それは道徳的には誉められたことではなく、彼女は義兄への思いを封印しようとします。義兄への愛を意識すると、自分が姉の死を喜んだという反倫理的記憶を喚起するからです。

姉の死を喜ぶような人間であるという思いは彼女の道徳感情を毀損するものであり、そのような不埒な欲望を持ったことは、彼女の心を傷つけ、不安定にします。そうした事態を避けるために、義兄への愛はなかったことにしなければなりません。これが抑圧です。義理の兄への思いは抑圧され、無意識化したことで、エリザベートには認識できなくなります。しかしその思いがなくなるわけではありません。抑圧されたことで意識の表層に浮かび上がることができない欲望はなんとか表に出ようとして、やがて大腿部の疼痛や歩行困難というかたちで自身の存在を示そうとしたのです。

フロイトは、エリザベートのヒステリーの原因を義兄への愛にあることを見出し、それを彼女に指摘します。しかし、彼女は頑なにその欲望の存在を認めようとはしません。そのような事態をフロイトは、「抵抗」と呼んでいます。

義兄への愛を認めようとしないエリザベートの態度は、精神分析の概念上、「否定」と呼ばれるものです。精神分析において、患者が示す否定の身振りは、逆にその肯定ともとることができる。エリザベートが、義理の兄への愛を頑なに否定する態度自体が、その愛の存在を肯定していると捉えられるからです。

これは、われわれの日常生活においても容易に体験できることです。たとえば、小学生が「誰々君は誰々さんのことが好きだ」なんてはやし立てると、その対象となった男の子は、そんなことはないと言って怒ったりします。その否定的態度が、逆に彼の思いを語ってしまうのです。

さて、フロイトの精神分析は、実際の患者の治療行為を通じて、無意識の発見をなしていきましたが、この無意識の発見には、どのような意味があったのでしょうか。

それは、通常、近代哲学の創始者であり、また近代という時代のパラダイムを作ったとされるデカルト主義の否定ということになります。「我思う、故に我あり（コギト・エルゴ・スム）」という言葉に代表されるデカルト的思考の核心にあるのは、なんといっても人間の行動の源泉にこの「我」を据えることでした。何をするにしろ、何を考えるにしろ、それらの行動や思考は、「我」が行っているのだということです。

翻ってフロイトの無意識は、この近代的人間像を否定してしまいます。なぜなら、フロイトの理論によれば、われわれの行動はすべて明瞭な意識としての「我」によって導かれているわけではなく、自身では認識すらできない無意識化した欲望に先導されているということになるからです。

この本人すらよくわからない原因によって行動が決定されているという発想は、とりわけ文学研究においては、大きな魅力になります。精神分析の技法で作品を解析することは、作者も知らない無意識的欲望により作品が構成されていることを明らかにする作業です。批評あるいは研究を通じて、作者自身も知らない理由で作品が作られたことを明らかにするので、その批評は、作者を出し抜いたことになります。

そこでの批評は、単なる作者の意図の解説、再現ではありません。批評は、作者の後追い作業を脱し、新たな創造的実践になります。フロイトも、精神分析的技法によって文学芸術作品を分析しています。幼い頃から愛読していたシェイクスピアだけでなく、ドストエフスキーやホフマン、あるいはダ・ヴィンチといった芸術家の作品も取り上げています。

では、精神分析の技法は具体的に、どのように作品の解釈に適用されるのでしょうか。作品のなかに作家の無意識の欲望を読み解く際にしばしば使われるのが、フロイトの提起した精神分析の種々の概念のなかで最も人口に膾炙した「エディプス・コンプレクス」の理論です。

エディプス・コンプレクス

エディプスとは、古代ギリシアの悲劇『オイディプス』から名付けられたものです。

古代ギリシアの都市国家テーベの王オイディプスは、知らぬ間に自分の父であるライオスを殺し、その母であるイオカステと結ばれ、四人の子どもまでなしてしまいます。やがてその事実を知ったオイディプスは、自らの目を潰し、娘のアンティゴネーとともにテーベを捨て、遍歴の旅に出るという話です。

フロイトは、幼い子が同性の親を排除し、異性の親と一体になろうとする欲望を持つという理論を立てます。それが、オイディプス王の悲劇と同様の構成になっていることから、幼児の持つ同性の親を排除しようとする欲望を「エディプス・コンプレクス」と命名したのでした。

このエディプス・コンプレクスをうまく克服できないと、将来ヒステリーなどの症状を引き起こすとフロイトは考えました。実は、このエディプス・コンプレクス理論に到達する以前、フロイトは、「誘惑理論」と呼ばれるものでヒステリーを解明しようとしました。

フロイトは自身の臨床例から、ヒステリーを発症した患者の多くが、幼い頃に身近な人間から性的虐待を受けていたことを知ります。それがトラウマとなって、後にヒステリーを引き起こす原因になっていると考えたのですが、それが患者の空想であることを知り、この理論を捨て、エディプス・コンプレクスの理論を構築しました。

しかし、そこにはフロイトと彼の父との関係が影響しているのではないかという説を唱える研究者もいます。フロイトの父自身にいかがわしいところがあり、身近な人間、多くは父親による性的虐待を病の根幹に据える誘惑理論を推し進めると、やがて自分の父親の問題を無視できなくなると考えたフロイトは、誘惑理論を捨てたというのです。いかがわしいかどうかは別にして、フロイトの母は、フロイトの父の三番目の妻で、そんなことからも、フロイトの育った家庭環境が複雑なものであったことを伺い知ることができます。

しかし、フロイトが誘惑理論を捨ててエディプス・コンプレクスの理論を採らなければ、彼の名声が今日のようなものにはならかったでしょう。ギリシア神話をもとにした彼の理論は、精神分析の技法を超えた魅力があることは間違いないからです。

このエディプス・コンプレクスは、どのように克服されるのでしょうか。

フロイトは、八三歳という長命を保ちました。長い人生のなかで彼の理論も変化していきますが、当初このエディプス・コンプレクスは、五、六歳の幼少期に訪れるとされていました。では、それ以前の時期はどうなっているのでしょうか。

リビドーと自体愛

フロイトは、エディプス・コンプレクス以前の時期を「自体愛」の時期と呼びました。人間の欲望をリビドーという性欲のエネルギーで説明し、このリビドーが向かう対象によって、人間を口唇期、肛門期、男根期という三つの段階に分けました。それぞれの時期においてリビドーが、唇、肛門、男根に向かうということで、わかりやすく言えば、唇、肛門、男根で快感を覚えるということです。

口唇期は、〇歳から一歳半くらいまでの乳児がこの段階にあるとされます。この時期の子どもは、母親のおっぱいを吸って栄養を獲得します。また子どもを持ったことのある人なら誰でも知っているように、この頃の乳児は、なんでも口に入れようとします。だから、子どもの手の届くところにタバコや針など危険なものを置いてはいけないというのですが、フロイトは、乳児のこうした行動が、口にものを入れ、その刺激によってもたらされる快感に導かれていると考えました。

次の肛門期は二、三歳の子どもの時期にあたります。この時期にさしかかった子どもは、いわゆるトイレトレーニングと呼ばれる、オムツを卒業するための訓練をします。

人間の赤ちゃんは、「生理的早産」と呼ばれる状態で生まれます。哺乳動物の多くは、自力歩行が生後数時間で可能になるまで身体機能が整った段階で分娩されます。人間の赤ちゃんも、もう一年くらい母親のお腹の中にいて、自力歩行が可能になるくらいにまで成長してから生まれてもよさそうなものですが、大脳が発達した人間の赤ちゃんは、長く母親のお腹の中にいると、今度は母親の産道を通ることができなくなります。他の哺乳動物より一年くらい早めに生まれるのはそのためです。それを生理的早産と呼んだのですが、その結果、身体のさまざまな機能が十全に発達しておらず、尿や便をある程度貯めてから出すということが生誕当初はできません。

それが二歳くらいになると肛門の括約筋などが発達してきて、貯めて出すということが可能になります。われわれも尿や便をある程度貯めてから排出したほうが、達成感があるわけですが、この尿や便が、膀胱や直腸に貯蔵された状態が快感となる、そうフロイトは考えたのでした。

フロイトは、この糞便を貨幣と同種のものととらえました。お金も、毎日少しずつ使うよりも何日か使わないで貯蓄して、一気に大きな買い物をしたほうが大きな快感を得られます。その快感のありようについて、フロイトは貯めて排出するという糞便の機能と似ていると考えたのでした。興味深いことにマルクスも貨幣を糞便に喩えています。

ちなみに貨幣を糞便に擬えたマルクスもフロイトもユダヤ人です。それまで、シェイクスピアの『ヴェニスの商人』のシャイロックに代表されるように、ユダヤ人につきまとうイメージは金儲けのうまい人々、「守銭奴」というものでした。一方、マルクスもフロイトも貨幣を糞便に喩え、金儲けに批判的な視線を注いでいたことは注目すべきことですし、そこに彼らの無意識的欲望が表れているとも考えられます。

そして、最後が男根期です。四、五歳くらいの子どもがこの時期にあるとされます。この時期の子どもは、意味もなく男の子ならおちんちんをさわったり、女の子ならクリトリスの部分をどこかに押し当てたりしますが、フロイトはそうした子どもの様子を見て、この概念を考案したのでしょう。特に男の子の場合、「そんなことしているとおちんちんに辛子を塗るぞ」とか、「そんなにさわっていると切っちゃうぞ」などと言って親は子どものこうした行動を阻止しようとします。親が示すこれらの禁止を、フロイトは、「去勢不安」と呼びました。この去勢不安という概念がとても重要なのは、この概念がエディプス・コンプレクスにもかかわっているからです。エディプス・コンプレクスは、この男根期の終わりごろから形成されます。

男根期において、子どもは男女の性差に気づくようになります。口唇期、肛門期、男根期をフロイトが「自体愛（ナルシシズム）」と呼んだのは、本来、性の欲動すなわちリビドーは自分以外の他者に向かうべきものであるのに、子どものリビドーは自身の身体の一部に向かっていたからです。自体愛の時期を脱して、他者へリビドーを差し向けること、他者への愛に目覚めることこそ、成長の一つの証とフロイトは考えたのかもしれません。

自体愛の時期は脱するべきだと言いましたが、しかし、それは無意味なもの、あるいは、なくもがなの時期だということではありません。さまざまな批判もありますが、フロイトの娘アンナ・フロイトの弟子でもあり、アメリカで自我心理学を発展させた発達心理学者エリク・H・エリクソンのいう、幼児が親子関係のなかで自身の存在を肯定的にとらえる「基本的信頼」は、この自体愛の延長上にあるものと見なすことができるからです。簡単に言えば、他者を愛するためには、自己を愛することができなければならないということです。

しかし、この自体愛の段階に止まることは、人が社会化されないことにもなりますので、やはり克服されねばならないものと言えるでしょう。

インセスト・タブーの成立

そこで、自体愛を脱するために必要となるのが、性差への覚醒です。この性差についての意識とエディプス・コンプレクスとは、密接に関係します。先に、エディプス・コンプレクスとは、子どもが異性の親との一体化を保つため、同性の親を排除しようとする欲望だと述べました。そしてその命名のもとになった神話自体は、男の子による父親殺しが主題でした。フロイトのエディプス・コンプレクスも、男の子の場合はきれいに説明がつきますが、女の子の場合はやや複雑です。ここでは、男児におけるエディプス・コンプレクスの問題に焦点を合わせて考えてみましょう。

自体愛の時期は、男の子も女の子も等しく母親が欲望の対象になっています。男根期において子どもはファルス（ペニスのことを生物学的意味での性器と区別するために、精神分析ではファルスと呼びます）の有無を通じて性差を意識するようになり、異性の親への欲望を持つようになります。男の子は、母親との一体化を求めるのです。

しかし、この段階で子どもの欲望の実現を阻むのが父親です。男の子は、母親や女の子にはファルスがないことに気づき、それは去勢されたからだと考えます。そこで意味を持つのが、先に触れた「おちんちんを切っちゃうぞ」という脅しです。親の口にした冗談が、子どもには、ファルスを持たない母親の体を見たことを通じて、現実的恐怖として機能します。

そして子どもは、まだ小さな自分には、去勢不安を克服し、父を打ち倒して母を手に入れることは不可能と知り、エディプス的欲望を断念するに至ります。その際、子どもは、単に父には勝てないと思うだけではなく、この父の機能を象徴的なかたちで自身の心のなかに取り入れるとされます。ここで言う「父の機能」とは、母親を手に入れようとする欲望を断念させるということです。それは換言すれば近親相姦の断念、つまりインセスト・タブー（近親相姦禁忌）の成立ということになります。

フロイトは、「トーテムとタブー」という論文で、インセスト・タブーの成立が社会の発生の根幹にあるという考えを提示しています。社会とは、異なる人間同士が、互いの欲望を相互に少しずつ断念して生きる場です。社会の形成には、さまざまな人間同士が生きるうえで守らねばならない最低限の約束、つまりは法が必要です。フロイトはこの社会秩序を維持する法の根源にインセスト・タブーがあると考えました。したがって、エディプス的欲望を断念させる父の機能を取り込むことは、子どもの心のなかに社会生活を可能にする法＝秩序意識を芽生えさせるということにもなります。

幼い子どもはわがままです。お腹が空いては泣きオシッコがしたいと言っては大騒ぎして、自己のなかにある欲望の即時の充足を求めます。精神分析的に言えば、子どもは快感原則に従って生きているということになります。しかし、誰もが快感原則に従って生きていては、社会生活が成り立たなくなる。この快感原則の対概念は現実原則ですが、大人は現実原則も踏まえて生きています。

子どもが成長するとは、このような秩序意識、つまり法への意識を心中に持つということですが、それが、エディプス的欲望を断念させる父の機能の取り込みを通じて可能になる。こうした心の中に取り込まれた父の機能を、フロイトは「超自我」と呼びました。

フロイトは意識、前意識、無意識について、後に「超自我」「自我」「エス」というように呼称を変更します。大雑把に言うと、意識が超自我で、前意識が自我、無意識がエスにそれぞれ対応すると言えるでしょう。さまざまな欲望のある場を「エス」と呼び、そうしたエスにあるさまざまな欲望を支配するのが自我です。さらにこの自我の働きを監視するのが超自我の機能だと考えられます。

超自我は、父親の機能に由来すると述べました。しかし、誤解を避けるために言い添えておくと、ここで言う父親とは、必ずしも男親を意味するわけではありません。たとえば母子家庭が増えると、父性が欠けた子どもが増えるというような議論がありますが、父親の機能というときに重要なのは、その機能であって、担い手ではありません。母親が父の機能を果たしてもいいのです。エディプス的欲望の断念を通じて子どもが社会化されるということが大事なのです。

第5章 精神分析で作品を読み解く

さて、ここからは、前章で述べた精神分析の理論を具体的な作品に適用して考えてみましょう。

カミュ『異邦人』と精神分析

コロナ禍で『ペスト』の著者として注目を集めたアルベール・カミュの小説に『異邦人』という作品があります。「今日ママンが死んだ。それとも昨日か、僕は知らない」という有名な書き出しで始まる小説です。カミュ自身は、自分が実存主義に分類されることには否定的でしたが、実存主義文学の傑作として、名高い作品です。

この実存主義は、キルケゴールにその起源が求められるもので、第二次世界大戦後に、全世界的に流行しました。日本でも主に戦後に紹介されて、爆発的人気を呼びます。アウシュヴィッツに代表されるファシズムの蛮行や、全世界で約六〇〇〇万人とも言われる犠牲者を出した第二次世界大戦は、敗戦国のドイツや日本だけでなく、戦勝国となった連合国側にも大きな傷跡を残しました。

悲惨な戦争の結果は、日独伊の全体主義国家が主導した行いにその主たる原因を求めねばならないとしても、ヒトラーやムッソリーニあるいは東条英機といった独裁的指導者や、それらを支持した国民にのみ責を求めることはできないでしょう。そうした体制を生み出す芽は、戦勝国の側にもあったわけですし、またそのような国家や人物が生まれてくることは、広く人間社会全般の問題としてとらえねばならないからです。敗戦国だけでなく、戦勝国においても戦争を阻止できなかった旧来の社会体制・秩序に対する信頼は大きく揺らぎ、人間という存在への再考が迫られたとも言えます。

旧来の秩序の失墜、価値観の崩壊を経験し、精神的拠り所を失った人々の前に、「実存は本質に先立つ」というスローガンを立てて登場した実存主義は、青年を中心に多くの人々の心をとらえました。石や木は本質によってすでに規定された存在であるが、人間はそのような意味での本質を持たず、「今、ここ」における行動を通じて、自身が何であるかを決定していく自由な存在であるという実存主義の主張は、悲惨な戦争による秩序崩壊を経験した人々にとって、うってつけの思想であったと言えます。過去に束縛されることなく、新たに未来に向けて事を始めることが可能である（これを実存主義では「投企」と呼びます）と思わせる、肯定的メッセージを投げかけるものととらえられたのです。

カミュの『異邦人』もそのような実存主義的メッセージが込められた作品として広く受け容れられました。冒頭でも触れたように、この小説の主人公ムルソーは、養老院から、そこにあずけていた母親が死んだという報せを受けます。ムルソーは養老院に赴き、葬儀を済ませて自宅に戻ってきます。

その翌日、恋人や友人たちと近くの海に出かけたムルソーは、そこでアラブ人の一団とトラブルを起こします。身の危険を感じたムルソーは自宅に戻り、銃を取って海辺に向かおうとしますが、その途中で、先ほど諍いのあったアラブ人の一人とばったり出会います。相手の手にナイフがあるのを見たムルソーは、持っていた銃を撃ちます。弾は男に当たり、さらに銃撃を加えたせいで男はあえなく落命します。ムルソーは殺人罪で逮捕され、友人や恋人らの弁護も空しく死刑を宣告され、ムルソーは死刑台の露と消える、という話です。

この小説が、実存主義の代表作とされたのは、死刑になるかもしれないのに、恬淡としているムルソーの虚無的な言動によります。特に有名なのは、裁判長から、アラブ人を殺した理由を聞かれた際の「太陽のせいだ」という彼の言葉です。相手はナイフを持っていたのですから、五発もの銃撃は過剰防衛とは言っても、一定の正当性は認められたはずですが、このムルソーの不遜な、法廷を侮辱しているともとれる言辞は、彼の死刑を確定する決定的要因となりました。

しかし、なぜムルソーは、「太陽のせいだ」という一見意味不明な答えをしたのでしょうか。

ムルソーの行為は、ナイフを持って迫って来ている相手への反撃であると言えるでしょうが、しかし、そういう行動をどうしてもとらねばならない必然性はありません。彼は、銃撃せず、回れ右して逃げることもできたわけですし、同じ発砲するにしても、まず空に向けて威嚇射撃するとか、相手を撃つにしても、致死性の少ない足を撃つとか、できたはずです。

ムルソーの前には、無数といってもいい選択肢があった。そのときのムルソーは自由な状態にあったのであり、行動の選択を通じて自己が何かを証明せねばならない、まさに実存主義的状況にあったと言えます。ナイフを持ったアラブ人が接近して来るという危機的状況とそのアラブ人を銃撃するという、これら二つの行為は自然科学の法則のような絶対的因果関係で結ばれているわけではありません。

したがって、銃撃の理由として、相手がナイフを持っていたからというのは、行動の必然的根拠にはなり得ないのです。アラブ人を撃つ瞬間にムルソーの目に映った北アフリカの眩しい夏の太陽のせいだと言ってもよいということになります。ムルソーの言葉は、人間の行動には、絶対的根拠はない、つまり自由な状態に置かれているということを語ったものと考えられるのです。

ムルソーは、この殺人を通じて、実存主義的、虚無主義的人物として造形され、第二次大戦後の秩序や価値観の崩壊した時代を生きるアンチ・ヒーローとして、多くの人々の共感を集め、厚く迎えられました。

父の不在とムルソー

この『異邦人』という小説を、精神分析的視点で見ると、どうなるでしょうか。

母の死をもって始まるこの小説において、その死以上に注目すべきは、ムルソーの父親です。小説では、ムルソーの父親についてははっきりと語られず、彼の母親がかつて彼に語って聞かせた思い出としてのみ登場します。その思い出とは、父親が公開処刑を見に行ったときのものです。

このエピソード自体、実は、カミュ自身の父親の経験を語ったものでした。したがってムルソーの人物造形には、カミュの体験が色濃く反映されていると言えます。カミュの父親は、彼が幼いときに亡くなっています。とすれば、はっきりとは語られないムルソーの父親もすでに死んでいたと推測できます。ちなみに、フランス実存主義のもう一人の代表的人物で、最後の知識人とも言われたサルトルも幼い頃に父親を亡くしています。

フロイトの精神分析理論を紹介した前章で、エディプス的欲望の克服を通じて、子どもは、法を意味する父親の機能を想像的なかたちで自己の内面に取り込み、その心のなかに超自我が形成されると述べました。幼い頃に父親を亡くしているということは、ムルソーにおいては、この超自我が形成されていないと見なすことができます。

実際の人間形成において、現実の父親の有無が問題ではないと前章で言いました。ただ虚構としての小説世界の設定における父の不在は、法の不在を意味するものととることができます。つまり、父親が不在のムルソーは、法、善悪の意識の欠落した人間として、小説世界においては造形されていると言えます。善悪の意識が欠落しているからこそ、ムルソーが「太陽のせいだ」というような理由なき殺人をなしえたと考えられるということです。

ただ、忘れてならないことがあります。父が早逝したことは、ムルソー自身与ることのできない出来事であったわけで、ムルソーが法のない世界を生きたとしても、彼自身にそのすべての責を求めることはできないとも言えます。小説の最後において、ムルソーは主体的に父の存在を拒絶しています。

牢獄で死刑執行を待つムルソーのもとに、キリスト教の神父が、最後の告解のためにやって来ます。日本語の神父という名称からも想像できるように、フランス語では、キリスト教の神父を mon père すなわち「わが父」と呼びます。ムルソーを訪問した神父は、まずムルソーに向かってなぜ、自分のことを「あなた」と言い、「わが父」と呼ばないのかと尋ねます。それに対して、ムルソーは、神父は「他人」に過ぎないと答えるのです。神父＝わが父という呼称を否定することを通して、自分には父親などいないということを自らの主体的決断において選び取っているのです。

このように、ムルソーは死刑執行の直前において、父の名を否定します。そうした行為を通じて、ムルソーは、旧来の秩序、法に束縛されない存在としての自己を提示するということを示していると言えます。

カミュの『異邦人』に描かれているように、父の不在、または父の否定は、法＝秩序のない世界を象徴的なかたちで示していました。

こうした世界観は、漫画やアニメーションドラマなどにもかなり幅広く見受けられます。詳述は避けますが、かつて一世を風靡した漫画『北斗の拳』やアニメ『エヴァンゲリオン』、映画『カンフー・パンダ』といった作品でも、作品中における父の死ないしは父（あるいは父性）の不在が法秩序の否定のメタファーとして設定されており、そうした設えにより、登場人物がむき出しの暴力にさらされ、また自身も無法化した世界に赴くというストーリー展開を導き出しています。

また、二〇二〇年のネットフリックス配信の人気韓国ドラマに『梨泰院クラス』という作品がありますが、主人公パク・セロイが父親の死の原因となった親子に復讐するというストーリーですが、この復讐の対象となる親子の父親は、大手飲食企業の会長で暴君的存在として登場します。こうした人物に復讐しようとする『梨泰院クラス』は、『カラマーゾフの兄弟』で描かれた父殺しのテーマを彷彿とさせるもので、現代のドラマにおいても、エディプス・コンプレクス的設定がまだ有効であることの証左でしょう。

「不気味なもの」と胎児の記憶

フロイトの論文に「不気味なもの」という論考があります。フロイトは、この論文において、不気味なもの（unheimlich）とは、「内密にして慣れ親しまれたもの、抑圧を経験しつつもその状態から回帰したもの」と定義しています（フロイト［2006］）。

この不気味なものの例として、フロイトは幽霊やドッペルゲンガーなどを挙げ、考察を加えています。幽霊やドッペルゲンガーすなわち自己の分身が不気味なのは、それが、われわれに危害を加える恐ろしいものだからというだけでは説明がつきません。実際われわれは、幽霊の話を恐がりながらも喜んで聞いているからです。

フロイトは、幽霊のような不気味なものに対して、恐れつつもそれを喜ぶというような、相反する感情（アンビヴァレンス）を抱く理由を、不気味なものとは、かつて慣れ親しんだものだからだと考えました。かつてよく知ったものが抑圧された結果、それについて人は思い出せなくなっている。そういうものが不気味なものだとフロイトは述べました。

しかし、幽霊にわれわれがかつて慣れ親しんでいたとは、どういう意味でしょうか。

ここで、フロイトの論考を少し離れて、エドガー・アラン・ポーの小説『アッシャー家の崩壊』と鈴木光司の小説で中田秀夫監督によって映画化もされた『リング』という作品を取り上げ、幽霊というものについて考えてみましょう。

『アッシャー家の崩壊』は、幼なじみであるロデリック・アッシャーの誘いに応じて、アッシャー家の館を訪問した「私」が、そこで見聞した恐怖体験を描いた小説です。この作品のクライマックスは、現在でいうパーキンソン病のような病で埋葬されたロデリックの妹、レディ・マデラインが甦って、ロデリックを襲う場面です。埋葬されたとき、実はマデラインはまだ死んでおらず、生きたまま棺に葬られていました。そんな残酷な仕打ちをした兄に復讐するために、マデラインは甦ったのでした。

一八三九年に発表されたこの『アッシャー家の崩壊』と日本のホラー小説の代表作であり、またジャパニーズホラー映画の傑作とされる『リング』の間には、重要な共通点があります。では、この二つの作品にある共通点とはどんなものでしょうか。

『リング』では、呪いのビデオを見たものが次々に変死を遂げる事件が発生します。その事件の原因はかつて無念の死を遂げた超能力者の怨念にあることが明らかになります。その怨念の主・貞子は、映画版ではその超能力のあまりの強さに恐怖と危険を感じた実の父・伊熊平八郎によって、伊豆の山荘にある井戸のそばで頭を石で殴られ、そのまま井戸の底に突き落とされて殺されます（原作の鈴木の小説では、貞子を殺したのは別の人物になっています）。しかし、井戸に落ちた貞子は死んでおらず、なんとか井戸を登ろうとしながら果たせずに、そこで絶命します。そのときの呪いが、ビデオになって伝播していくという物語です。

さて、『アッシャー家の崩壊』と『リング』の共通点はなにかというと、マデラインの場合も、貞子の場合も、生きたまま閉所に閉じこめられたものが、幽霊として甦るという設定になっていることです。

フロイトの定義に従えば、この「不気味な」幽霊は、われわれがかつて慣れ親しんだものということになります。では、この慣れ親しんだものの正体は、何でしょうか。生きたまま狭い場所に閉じこめられていて、われわれがかつてよく知っていたものとは何か。

その条件に合致するのは、母親の子宮のなかにいる赤ちゃんです。われわれの誰もが、かつては母親の子宮という閉所のなかにいた。しかしなぜ、母親の胎内にいた頃のことが抑圧されねばならないのでしょうか。

出生外傷という考え方があります。これはオーストリアの精神分析家オットー・ランクが提示した概念です。人間は、母親の子宮のなかにいるときが最も安楽な状態で、いわばユートピアの住人のようなものです。しかし、やがて子宮の収縮が始まり、人はこの濁世に出ねばならない。この出生という事態そのものが、楽園からの追放の経験として人間の心的外傷（トラウマ）になるという考え方です。

この出生外傷という見方を当てはめると、子宮にいた頃のことが抑圧されねばならないということが説明可能です。人は、この世に生まれたくて生まれてきたわけではない。本当は無理矢理追い出されたのだとすると、子宮にいた頃の記憶は本来甘美なものとして残ってもおかしくない。実際、三歳くらいまでの子どものなかには、母親の胎内にいた頃のことを覚えているという子がいるといいます。しかしそうした子でも、三歳を越えると胎内の記憶を忘れてしまうらしい。

なぜ思い出せなくなるのでしょうか。それは、子宮のなかにいた頃のことを思い出すと、自分が子宮から出たこと、つまり楽園から追放されたときのことも思い出さねばならなくなるからです。言ってみれば外傷体験なので、思い出すのが辛い。だから出生時の外傷を呼び起こさないように、子宮にいたときのことも思い出せなくなるという解釈です。

それでも楽園にいた頃の甘やかな思い出は消えることはなく、われわれを誘っている。しかしそのままのかたちでは、意識の表面に出ることはできないので、何かに変装せねばならず、そこで生きたまま棺や井戸などの閉所に閉じこめられ朽ち果てた者の甦り、つまり幽霊として、われわれの前に回帰してくるというわけです。

こうして現れた幽霊はおどろおどろしいものですが、単に恐怖の対象に過ぎないならば、ホラー映画や怪奇現象を扱ったテレビ番組が作られ続ける根拠がない。われわれが幽霊を見たがる心理は、単なる恐いもの見たさの好奇心というよりも、幽霊が指し示しているものを実はわれわれが無意識的に察知していると考えた方がわかりやすい。幽霊は、子宮のなかにいた頃の自分自身であり、それは一種のナルシシズムとも言えるでしょう。

世阿弥が創造した能には、神や霊などの超現実的存在が現れる「夢幻能」という形式があります。安達ヶ原の鬼女の話として知られる「黒塚」などがこれに当てはまりますが、シテとして現れた怨霊が、ワキである高名な僧によって霊鎮めされ、浄化されて昇天するという話です。鬼の仮面をかぶった怨霊が浄化されると、優しい顔の面に変わって成仏する。これも幽霊が持つ二面性を非常によく表しているものと言えます。

つまり、幽霊の邪悪な表情の下には、優しい顔が隠れている。

子宮にいた頃の記憶は楽園の記憶ですから、本来美しいものであるはずです。しかし、出生外傷によりそれは抑圧されねばならなくなり、邪悪なものとして排除の対象になってしまった。恐ろしい様相をした幽霊が、浄化されて昇天するときに美しく穏やかな顔になっているのは、ちょうど子宮に関する記憶の二面性に対応するものと考えられるのです。

このように、精神分析的手法で作品を読み解くことには、作品のなかにある別の顔を見出すという役割があります。それは、「夢幻能」のワキである僧侶が、癒されぬ霊の魂を鎮め、浄化するのにも似ています。作品をある固定的視点から解き放ち、まるで異なる相貌を持つものとしてとらえなおすことは、作品理解のあらたな解放であると同時に、批評の醍醐味でもあるのです。

第6章 文学の社会学的読み方

社会学の領域の一つに、文芸社会学という分野があります。文学作品をその作品が生み出された社会の産物と見なし、社会との関係のなかで文学作品を語ろうとする方法です。

フランクフルト学派のヴァルター・ベンヤミンによる未完原稿「パリ――十九世紀の首都」や「ボードレールにおける第二帝政期のパリ」などは、芸術社会学的視点で書かれた比較的早い時期の、優れた成果と言えるでしょう。これは文学的都市論のはしりとも言うべき作品で、第二帝政期のパリ、資本主義が勃興し、文学や芸術のあり方にも変更を迫りつつあった当時のパリおいて、ボードレールのような芸術家が自身の文学や芸術をどのように実現していったかを描いた評論です。

作品や作者が生まれ育った社会との関係で文学作品の意味を説明しようとするこうした方法は、一種の還元主義と言えます。マルクス主義的作品理解も、この芸術社会学の考え方に近いでしょう。芸術や文学もイデオロギーつまりは上部構造で、経済体制という下部構造に規定されたものとマルクス主義的には理解できるからです。先に挙げたフランクフルト学派も、この流れに属するものでした。

もちろん、文芸社会学がすべてマルクス主義的というわけではありません。ただ、文学作品を社会に還元して説明しようとする方法では、文学作品の持つ固有の価値を語り得なくなるという疑念は、当然生まれてきます。そういう点で、文学の自立性を誇ろうと考えている芸術至上主義的な作家や評論家からは、概して評判が芳しくありませんでした。

そういう批判に応えつつ、文学や芸術を社会学的視点から考察対象にし、かつ目覚ましい成果を残したのがフランスの社会学者、ピエール・ブルデューです。

文化資本としての芸術——ブルデューの芸術社会学

ブルデューは、芸術的審美意識や才能というのは、単に個人の能力や感受性の問題ではないことを明らかにしました。たとえば、どんな音楽を好むかによって、その人の帰属階級や集団がわかるということをアンケートの数値などを使って明らかにしています。ポピュラー音楽が好きな人はブルーカラーの職業の人に多く、対してクラシック音楽を好むのはホワイトカラーの人に多いといったことです。

ここまでなら特に数量化せずとも、なんとなくわれわれも感覚的に判っていて、そういう感覚をあえて数値によって実証しただけとも言えます。しかし、ブルデューの真骨頂は、そうした趣味自体が、その人間が育った生育環境によって決まることを明らかにしたことにあります。

ブルデューが用いたのは、「文化資本」や「ハビトゥス」、あるいは「文学場」といった分析概念でした。文化資本とは、たとえば家にある本の量とか、家に芸術作品があるかどうか、あるいはそれに触れる機会が定期的にあるか、さらには親の学歴や、もう少し漠然としたものでは、優雅な身のこなしなどの立ち居振る舞いといったものを意味します。

家にたくさんの本があり、クラシック音楽が流れており、親の学歴が高く、優雅な身のこなしができるというような傾向があるならば、その人は高学歴を得やすく、その結果、社会に出てもより高い地位に容易に就くことができる。当然それは経済的豊かさを保証するものですから、経済的資本にも恵まれることになり、そうした高い文化資本を持つ家に生まれた子どももまた、高い文化資本のある家庭を築く可能性が高くなります。

この文化資本という発想自体、いかにもフランスの社会を反映したものだとも言えます。フランスでは、企業人でもそのトップに上り詰めるような人物なら、単に経営者としての手腕を示すだけでは十分でありません。たとえば、スピーチにおいてもパスカルなどの哲学者や文学者、文化人の名句を織り交ぜた教養の深さを示す必要があります。政治家もそうです。

ブルデューはまた、「文学（芸術）場」という概念を使って、近代文学のあり方、特に芸術市場主義的文学の存立を説明しています。文学場とは、作家、批評家、学者、編集者や出版者など、文学に直接かかわる人々によって形成される関係の総体を指すものです。ブルデューは、この文学場は、近代において成立したものだと述べます。近代以前の文学や芸術は、貴族などの特権階級に属する人々の趣味の延長上にあるものか、あるいは王侯貴族やブルジョワ階級の人々がパトロンとなって芸術家を丸抱えし、作品制作につとめさせるというようなかたちで存在しました。

さらに近代になって出版資本主義が進展し、作品が商品として市場に出回るようになると、文学者や芸術家は、王侯貴族、大商人などのパトロンといった特定の人物でなく、一般大衆という不特定多数を相手にしなければならなくなります。簡単に言えば、売れ行きを気にしなければならない。しかし、単に売れる作品を作ればいいというものではありません。文学や芸術である限り、それは大衆の支持とは別個の、芸術的価値をも持たねばなりません。

作品の持つ芸術的価値を決める際にかかわってくるのが、この文学場と呼ばれるものです。文学場は、作品に、そして文学に、それが持つ経済的価値とは別個の自律的価値、嚙み砕いて言えば修練を積んだ玄人にしかわからないような価値を付与する場であると言えます。こうして文学場は芸術至上主義的文学観を支える基盤になります。また文学場を通して文学の自律的価値が付与されることにより、文学が、社会において経済的価値には還元できない特別の価値を持つという見方、あえていえば幻想が成立するのです。

ブルデューのいう文学場がフランスで成立したのは、一九世紀半ばの第二帝政期だと考えられます。先に触れたベンヤミンの評論もこの第二帝政期を対象としたもので、ブルデューの発想の一つの淵源になっているといってもよいでしょう。

では、この文学場が日本において形成されたのは、いつ頃でしょうか。

文学場の成立と探偵小説

日本では、明治維新以降の近代化の過程で、文学においても他の分野と同様に、西洋の文学が積極的に紹介されるようになりました。通常の教科書的文学史によれば、明治一八年から一九年（一八八五〜八六）にかけて発表された坪内逍遥の『小説神髄』と、明治二〇年から二二年（一八八七〜八九）に世に問われた二葉亭四迷の『浮雲』をもって、日本近代文学が始まったとされます。

しかし、日本で文学場と呼べるようなものが形成されたのはもう少し後で、一九二〇年代、大正時代と考えてよいでしょう。というのも、この大正時代に文学が職業として成立したと考えられるからです。山本芳明は、『文学者はつくられる』において、大正時代半ば過ぎに文学作品の出版が成功したことを通じて、作家の経済状態が好転し、文学が経済的に自律を遂げた様を詳しく描いています。

文学場の成立と文学の経済的自律とは不可分の関係にあります。文学には経済的価値に還元できない独自の価値があるという幻想を支えるのが文学場の機能だと述べましたが、かつてのようにパトロンの絶対的庇護のもとに芸術活動を行っていた芸術家が、芸術には経済に還元できない価値があると言っても意味をなさないからです。また、文学には独自の価値があるという言説を通じて文学の独自性が喧伝されることにより、その商品価値が上がるということもあります。文学に触れるのは、単なる暇つぶしではなく、自己を高める何かをもたらしてくれる「崇高」な経験だという幻想は、人々を文学へと誘うに充分なキャッチコピーとして機能したと言えるでしょう。

この文学場の成立は、視点を変えると、純文学と大衆文学という二分法の誕生ということにもなります。簡単に言えば、大衆文学とは経済的に成功した作品で、純文学とは、経済的には成功しないが芸術的価値を有する作品ということです。

さて、ここでは、大正期における大衆文学の勃興という事態、特に探偵小説というジャンルの成功を、社会学的視点で具体的に見ていくことにしましょう。

日本における本格的探偵小説は、江戸川乱歩の登場により始まると言われています。その乱歩が、小説『二銭銅貨』で文壇デビューを果したのは、大正一二（一九二三）年のことです。その乱歩が優れた作家であることは言を待ちませんが、日本の近代探偵小説のパイオニアとして世間に迎えられ、多くの読者を獲得できたのは、彼の才能のみによるものではありませんでした。というのも、彼が大正時代の半ば過ぎに作家として活動を始めたことと、探偵小説家としての彼の活躍は密接に結び付いていたからです。

では、何が乱歩にそのような立場の獲得を可能にさせたのでしょうか。つまり、何が大正時代の日本において、本格的探偵小説の成立を許したのでしょうか。その要因として、四つの要素が挙げられます。識字率の上昇、余暇の誕生と刺激的なものへの希求、近代的大都市の成立、そして密室の普及です。それぞれについて詳しく見ていきましょう。

識字率の上昇

探偵小説の成立を可能にした要因の一つめは、リテラシーすなわち識字力の上昇です。

探偵小説は、大衆文学だと述べました。大衆文学とは、字義通り広く大衆に読まれる文学です。いつの時代にも大衆や庶民はいるのですが、大衆文学が成立するためには、その大衆が字を読めなければなりません。これはかなり高いハードルです。まともに字を読めるようになるには、何年もの習練が必要で、かつ誰かに教えてもらわねばなりません。字を習得するには、多くの時間とお金がかかるのです。

一八六八年に明治維新が起こり、明治五（一八七二）年には、学制が施行されます。これは、日本における義務教育の実質的開始を意味します。

この学制とは、全国を八つの大学区にわけ（翌年には七つに変更されます）、各大学区に三二の中学区、さらに各中学区のなかに二一〇の小学区を置くというものでした。それによると、小学校区の数は五万三七六〇です。これはかなりの数だと思いますが、学制が施行されたからといって、いきなり五万を越える小学校が日本各地にできるはずがありません。校舎や校庭がいりますし、なんといっても先生が必要です。これだけのものを五万もの小学校にそろえることは、財政的にも不可能でした。

明治新政府が行わねばならないことは、教育だけではありません。戦艦や大砲を造って軍隊を強くせねばならないし、産業の育成、道路や水道の整備など、やるべきことを挙げればきりがない。したがって、五万有余の小学校はまさに画餅だったと言ってよいでしょう。

また、学校といっても名ばかりで、実際は、江戸時代にあった寺子屋をそのまま小学校として使ったり、お寺を学校代わりに使ったりしていました。しかし、そこまでして学制を敷いたのは、明治新政府が、教育の重要性を知り尽くしていたからです。

先に軍隊を強くせねばならないと言いましたが、富国強兵を実現するためには、強力な武器を取り揃えなくてはなりません。さらにそれだけでは任務完了とならず、大事なのは、むしろそれからです。たとえば最新の兵器を導入しても、その使い方がわからないとどうにもならない。その使用方法を習熟するには、マニュアルを読む必要があります。

大西巨人の『神聖喜劇』は、戦後日本文学の金字塔と言ってもよい小説ですが、これは主人公の東堂太郎二等兵から見た日本軍の不条理さを徹底的に暴き立てた作品です。この東堂という男が、上官の理不尽な要求や無理な命令に対して抵抗するときにとった方法が、隅々まで軍規集を読み込み、軍規に書かれていることに則して抵抗するというものでした。これは遵法闘争とも言える方法です。戦前・戦中の日本軍は無法地帯というような印象を持たれがちですが、上官によるしごきは、一応軍規にのっとって実施されていたと言われています。

強い軍隊とは、まず規律がとれていなければならず、その規律の大きな源泉に軍規がある。このように、近代の軍隊は、文字に依存したものだったのです。したがって、富国強兵を実現するためにも、国民の識字力の向上は必須でした。

明治新政府は、富国強兵という国家目標を実現するためにも、義務教育制度の確立と整備を急ぎます。しかし先に述べたように、制度はつくられても実際の設備が伴わず、義務教育はかたちばかりに止まりました。

また、もう一つの問題は、国民の側があまり教育に熱心ではなかったということです。江戸時代の日本人の約八割は農民だったと言われています。網野善彦によると、百姓に分類されているすべての人が農業に従事していたわけではなかったようですが、明治一三（一八八〇）年の農林水産業、いわゆる第一次産業従事者は全労働者の八二・三%でした。それから二〇年後の明治三九（一九〇六）年の第一次産業従事者の数は一五三九万人で、全労働者数が二四九三万人ですから六一・七%。つまり、二十数年のうちに、二割以上、第一次産業従事者が減ったことになります。

農業従事者たちにとって、義務教育は大きな問題でした。教育を受けるのは子どもですが、親から見れば、学校に通う年齢になった子どもは、立派な労働力です。江戸時代には、間引き、すなわち嬰児殺しが行われていて、その対象になったのはまず女の子でした。なぜ女の子なのかというと、男ならある程度成長すれば労働力として期待できるけれど、女の子は力も弱いから、農作業を行ううえであまり適していないという理由からでした。こうしたことからも、子どもは、家族にとって貴重な労働力であったことがわかります。義務教育制度ができたからといって、おいそれと子どもを学校に通わせるわけにはいかなかったのです。

さらに、当時の日本の学校は、義務教育と言いながら、地域によって差があるものの月五〇銭あまりの授業料を徴収していました。多くの親たちは、子どもを学校に通わせることで、大切な労働力は奪われるは金は取られるはで踏んだり蹴ったりだということで、子どもを学校に通わせませんでした。明治六（一八七三）年に北条県（現在の岡山県）で発生した暴動では、小学校が焼き討ちされています。また明治九（一八七六）年に三重で発生した地租改正に反対した暴動でも、役場とならんで学校が破壊の対象となりました。これは、当時の人々が学校をどう見ていたかを如実に伝えるものです。

そうした反感もあり、学制が敷かれて三年後の明治八（一八七五）年の調査によると、就学率は約三三％でした。就学率とは、全児童数に対する小学校に登録された児童の比率を示すもので、実際に学校に通っている児童の比率を示す通学率は、わずか二〇・四％。義務教育といえども、約五人に一人の子どもしか学校に通っていなかったのです。それから約二〇年後の明治二七（一八九四）年の調査でも、就学率は五八・六％、通学率は三六・七％で、子どもの三分の一ぐらいしか学校に通っていません。

この状況に大きな変化を起こしたのが、義務教育の無償化でした。明治二七年から二八年（一八九四〜九五）の日清戦争に勝利した日本は、清から二億両（テール）（当時の日本円で約三億円）という多額の賠償金を得ます。さらに三国干渉で遼東半島を中国に返却した代償として得た四〇〇〇万両を合わせると、二億四〇〇〇万両（当時の日本円で約三億六〇〇〇万円）ものお金を日本は得たことになります。日清戦争以前の日本の国家予算がおよそ八〇〇〇万円余りでしたので、国家予算の四倍半のお金を手に入れたことになります。この賠償金の一部を使い、日本は義務教育の無償化を実現したのでした。

また、国民の教育についての考え方の変化も無視できません。明治初期の日本では、読み書きそろばんなど農業にはいらないという考え方だったのが、社会に出て行くためには、教育が必要だと多くの人が考えるようになっていきました。

現在、日本の労働者の八割以上が給与生活者ですが、明治時代は、給与生活者はむしろ少数派でした。給与生活者には毎月決まった額の現金収入がありますが、農業従事者は収穫したものを売って初めてお金を手に入れられるため、給与生活者は、憧れの対象でした。そして給与生活者になるには、学がなくてはならず、そのためにはやはり教育が必要だという考え方が定着していきます。

明治三一（一八九八）年の就学率が六八・九％で、通学率が四五・五％であったのに対し、義務教育の無償化を実現した明治三三（一九〇〇）年には、就学率が八一・六％、通学率は五九・一％と一気に上昇します。さらにその二年後の明治三五（一九〇二）年には、就学率が九〇％、通学率は六八％に達します。それから一〇年後の明治四五（一九一二）年には、就学率が九八・二％、通学率は八九・四％になりますので、明治の終わりには、日本のほぼ九割の子どもが読み書きできていたことになります。

江戸川乱歩が『二銭銅貨』という作品を雑誌『新青年』に発表したのは大正一二（一九二三）年です。これは日本の子どもの九割が読み書きできるようになってから一〇年ほど経過した頃です。日本の義務教育が一応の完成を見た年に子どもであった人たちが当時成人を迎えていた。そういう人たちが本を読もうと思ったときに、芥川龍之介や志賀直哉のような当時活躍していた純文学作家の作品は、気楽に読むにはやや敷居が高い。そこで殺人事件などをテーマにした探偵小説が人気を博したのです。

このように、義務教育制度の実質的確立を通じて、本を読む大衆という層が日本に誕生したのが、ちょうど乱歩が作家として活動を始めた大正時代半ば過ぎのことでした。

余暇の誕生と刺激的なものへの希求

二つめの理由である、余暇の誕生とそれに伴う刺激的なものへの希求の高まりについて見ていきましょう。

余暇は、もともと貴族をはじめとした支配階級の特権でした。しかしこの余暇が、近代になると庶民の間にも普及していきます。この余暇の普及の大きな要因として、第二次・第三次産業に従事する人間の増大が挙げられます。大正九（一九二〇）年の産業別就業者の内訳は、第一次産業従事者五三・八％、第二次産業従事者二〇・五％、第三次産業従事者は二三・七％でした。それが昭和五（一九三〇）年には、それぞれ第一次四九・七％、第二次二〇・三％、第三次は二九・八％になります。

先に触れたように、明治初期には、労働人口の八割が第一次産業に従事し、さらにその九割が農業に従事していたと考えられます。明治の農民の労働時間は、農繁期で一日一二時間、農閑期一〇時間程度とされています。今日の会社員のように通勤時間がないにしても、時間的な余裕のある生活ではなかったと言えるでしょう。また、自然相手の仕事では、今日は日曜だから、農作業は休みというわけにもいきません。

それに対して、第二次・第三次産業従事者は、自営業でなければ職住分離が通常で、仕事場を出ると仕事とは無関係な場所での生活が待っています。もちろん、『女工哀史』に描かれたような、明治期の昼夜二交代制の一日平均一二時間労働という過酷な労働環境にあった工場労働者には、余暇と呼べるような時間などあったはずもありませんが、大正時代になると、労働組合などの動きとともに、徐々に労働環境は改善されていきました。貧困の問題が解消されたわけではありませんが、大正時代には、ホワイトカラー層が、全人口の五〜八％いたと推測されています（南［1965］）。現代のように週休二日ではなかったにしても、決まった日に休みがある。こうして給与生活者は、一日のなかで何時間か、また一か月のなかでも何日かの休日に、余暇の時間を持つことができるようになりました。

余暇の普及は、娯楽産業の発展というかたちでも現れます。一九五〇年代頃までの民衆娯楽の代表といえば、映画でしょう。明治三六（一九〇三）年に浅草で開業した日本最初の常設映画館は、当初はかなり苦しい興行成績だったようですが、こうした映画館が日露戦争後に増えはじめ、大正元年（一九一二）には全国で一六四の常設館がありました。その後さらに映画館の数は増加の一途をたどり、大正六（一九一七）年に三〇〇館を越え、大正一〇（一九二一）年には六九四館、大正一五（一九二六）年には一〇五六館まで増加しました。わずか一四年で七倍近くに増えたのです。

余暇の拡大に伴い、人々の娯楽への欲求も高まります。ヴォルフガング・シベルブシュは『鉄道旅行の歴史』で、鉄道の普及によって車中で読書する習慣が一般化していく様について記述しています。日本でも、東京都心と郊外を結ぶ省線・郊外鉄道が、大正後半から昭和初期にかけて発達するにつれ、郊外からの通勤・通学客が増加し、またその長距離化・長時間化に伴って、車中で読書する習慣が生まれたという指摘もあります（永嶺［２００１］）。永嶺は、六〇万にも上るとされるこうした通勤・通学客の求めた本のジャンルは気楽なものであったと、大宅壮一の「電車の中で楽に読めないような作品は、一部の篤志家を除いて殆ど顧みられなくなった」という言葉を引用しつつ指摘しています（同前）。

こうして、余暇や通勤時間に気楽に読める本が求められるようになり、大衆の欲求に応えたのが、探偵小説というジャンルでした。しかし探偵小説は、単に気楽な読み物というわけではありませんでした。探偵の役目は事件の解決ですから、その前に殺人事件といった凶悪犯罪が発生せねばなりません。

ところで、現代も凶悪犯罪の報道がなされていますが、昨今の日本ではどの程度の殺人事件が発生しているのでしょうか。

警視庁の統計によると、二〇一九年に日本国内で発生した殺人事件の発生件数は九四五件、二〇一八年は九一五件、二〇一七年が九二〇件、二〇一六年が八九五件です（警察庁『犯罪統計資料』）。では、殺人事件の犠牲になった方はどれくらいいるでしょうか。二〇一九年の数値は現時点で発表されていませんので、その前年から挙げると二〇一八年は二七三人、二〇一七年は二八八人、そして二〇一六年が二九〇人です（厚生労働省・人口動態統計月報年計）。殺人事件の発生件数に比して、犠牲者数が三分の一程度であるのは、必ずしも被害者が亡くならなくても殺人事件としてカウントされるからです。

二〇一八年人口一〇万当たりの殺人事件発生件数で見ますと、日本は〇・二六件となります。アメリカは四・九六、フランスは一・二〇で、ドイツは〇・九五です。一方、アジア諸国を見ると、隣国韓国が〇・六〇で、中国は〇・五三です。日本の発生件数は、アメリカの約二〇分の一、韓国や中国の半分以下です。他国に比べて日本は、殺人事件のかなり少ない国と言えます（グローバルノート―国際統計・国別統計専門サイト 2020）。

このなかで、誰もが聞いたことのあるような凶悪犯罪はどのくらいかというと、さらに少なくなります。凶悪犯罪ですから、当然量刑も重くなります。やや古い数字になりますが、二〇〇二年には死刑判決を受けた被疑者が一二人、無期懲役が二二人、計三四件（殺人事件発生件数はおよそ一三〇〇件、犠牲者数はおよそ六〇〇人）。これは約一〇日に一件の割合で（河合［2004］）、テレビのワイドショーや週刊誌が取りあげやすいペースで発生しているとも言えます。最近は死刑判決が出るような事件はさらに減り、二〇一九年は二件のみです。では、残りの殺人事件はどんなものかというと、無理心中、なかでも最近増えているのは介護殺人で、これも殺人事件に該当します。

なぜこのような話をするかと言いますと、日常的に殺人事件の報道に接していると、自分たちの身近に凶悪犯罪者がいるような印象を抱きがちですが、実はそれほどでもないという実状を知っていただきたかったからです。日本は安全な国だと言いたいのではありません。そうではなくて、われわれが殺人事件になんらかのかたちでかかわる可能性は、実際には非常に低いということです。殺人事件とは、普通の市民にとってはまさに非日常的な事件なのです。

そして人々が探偵小説を好む理由の一つもここにあります。凶悪犯罪を描く探偵小説は、人々の日常を忘れ、別世界を体験したいという欲望を満たすものであったからです。

これは別の例で考えればわかりやすいでしょう。かつて大澤真幸は著書『資本主義のパラドックス』のなかで、東京ディズニーランドの特徴をその内閉性にあると指摘しました。東京ディズニーランドは、外が見えないような構造になっているというのです。また東京ディズニーランドには、通常の遊園地に存在する巨大な観覧車の類がないので、園全体を一望できるような場所がありません。その結果、ディズニーランドに入った人は外の世界が見えないだけでなく、そうして外部から隔離されているという事実すら認識しなくなると述べています。

この大澤の指摘を、私なりに換言すると、ディズニーランドとは、日常世界から隔離された非日常的空間にいることすら意識できないほど、非日常的世界だということになります。実際、ディズニーランドでは、ゲートをくぐるとすぐにミッキーやドナルド、シンデレラというお馴染みのキャラクターが出迎えてくれます。そこでわれわれは、日常とは全く異なる場所に来たという感覚を持つのです。

もし出迎えるのがミッキーやシンデレラでなく、近所のおじさんおばさんであれば、幻滅することでしょう。もちろんそんなことはあり得ないわけですが、こうした観光地に行って、知人に出会うことほど興ざめすることはありません。それは、観光地に行くことが、日常生活から遠ざかりたいという欲望に支えられているからです。そういう意味で、その当否は別として、ディズニーランドは、われわれが余暇に求めるものを非常によく理解して作られた施設だと言えるでしょう。

一方、探偵小説を読む楽しみもまた日常世界からの離脱にあります。日頃自分たちが身近に経験することのない凶悪犯罪に触れることができるからです。さらに探偵小説には犯罪のトリックについて思考を巡らせる頭の体操の一面もあり、知的興奮も味わうことができる。探偵小説は、そういうジャンルでもあるのです。

もう一つ重要なことは、非日常的体験と知的好奇心を満たしてくれる探偵小説で起きる事件は、あくまでも非現実の出来事だということです。それは、決してわれわれの日常生活を侵すものではありません。

遊園地の代表的アトラクションに絶叫コースターがありますが、これもどんなに恐くてもその先にあるのは死ではない。だからこそ、われわれは安心して悲鳴を上げることができるのです。探偵小説で描かれた事件がどれだけ陰惨で残虐なものであっても、それはやはりフィクションであり、われわれの日常生活を侵すものでないからこそ、安らかに恐怖を覚えることが可能なのです。

このように、安全に非日常世界を楽しむことができる装置として、探偵小説は、余暇を獲得した大正時代の民衆の欲望を満たしていきました。

近代的大都市の成立

探偵小説が成立した三つめの理由は、日本では大正期に近代的大都市が成立したということです。江戸時代の江戸には、町人が五〇〜六〇万人、それに武士や僧侶が五〇〜七〇万人住んでおり、計一〇〇〜一三〇万人の人口があったとされます。さらに北は板橋、南は品川までの地域を含む大江戸では、二〇〇万もの人口を抱えていました（市川［2007］）。しかし、明治維新で参勤交代制が廃止されると、その数は一気に六〇万人ほどにまで激減します。

その後、地方からの人口流入によって、東京の人口は明治二一（一八八八）年には一三五万人にまで回復しますが、当時の府県別の人口でみると、東京は全国で第四位、一位は新潟の一六六万人でした。乱歩が小説を書き始める直前の大正九（一九二〇）年の東京府（現在の東京都）の人口は約三七〇万人、二三区内（当時は東京市）で二一七万人です。

しかし、単に人口が多いということだけでは近代都市とは言えません。ゲマインシャフト（共同社会＝地縁・血縁・友情などで結びついた集団）とゲゼルシャフト（利益社会＝利害の一致などの合理的理由で結びついた集団）という用語でお馴染みの社会学者テンニースは、都市と対比し、

「大都市」という名称を使っています。この都市と大都市とを分ける基準が、ゲゼルシャフトという概念なのです。伝統的なヨーロッパの都市は自治を基盤とし、その自治を可能にしたのが都市で生活する人々の共同意識でした。一方、近代的大都市ではそうした共同意識が希薄になり、利益社会と訳されるゲゼルシャフトが成立することになります。

江戸も一〇〇万を超える人口を抱えながら、ゲマインシャフト的側面を残していました。それはたとえば、江戸落語の長屋暮らしをする「熊さん八っつぁん」の様子からも伺えます。江戸落語に描かれた世界は、人口一〇〇万を超える大都市といえども、近所同士が密接な関係を持ち、時に喧嘩をしながらも相互に助け合い、高い共同性を維持し、暮らしていたことを伝えています。

明治期に、江戸が東京へと改称されると、地方からの流入人口の増大によって、やがてこうした共同性も失われていきます。その傾向が最も顕著に現れるのが大正時代なのです。

松山巌は『乱歩と東京』において、当時の東京の変貌の様子を詳細に跡づけています。松山が注目したのが、東京の人口増加率の変化です。大正元(一九一二)年から五(一九一六)年までは、東京の人口増加率は〇・九〜一%、これに対して日本全国の人口増加率は一・四〜一・五%と、全国の伸び率の方が高かった。今と違って当時の東京は衛生環境が悪く、地方に比べて死亡率も高く、またこれは現在もそうですが、住宅環境などの影響で出生率が低かったことが影響しています。

しかし、大正六（一九一七）年にこの関係が逆転します。この年の全国の人口増加率は〇・七％でした。これはスペイン風邪の流行で死者が一五万人も出た影響と考えられます。これに対し、東京は一四・五％という非常に高い人口増加率を示しています。この後、大正時代に限ってみても、全国では一・三〜一・七％程度の増加率であるのに対し、東京では関東大震災の影響で三・一％の人口減となった大正一一（一九二二）年を除き、三・七〜八・四％という全国平均を三倍近く上回る人口の伸びが見られます。これは、大正三（一九一四）年に始まった第一次世界大戦による好景気の結果、首都圏を中心とした大都市で労働力不足が発生し、都会での仕事を求めて地方から大量の人々が流入した結果だと考えられます。

大正六年以降の地方からの急激な人口流入は、東京という都市のゲゼルシャフト化をさらに促進させました。それは都市に暮らす人々から共同意識を奪い、隣人といえどもどういう人物か皆目わからないという、今日の「都市における希薄な人間関係」の原型をつくったと考えられます。

では、このようにゲゼルシャフト化した都市と探偵小説のあいだには、どのようなつながりがあるのでしょうか。それは、探偵小説の醍醐味の一つである真犯人捜しにかかわってきます。探偵小説においては、通常小説の冒頭で事件が発生し、さまざまな人物が被疑者として浮かび上がります。そして真犯人は、ほぼ常に意外な人物です。貞淑と見なされていた妻、大会社の社長、あるいは代議士や医師、芸術家など、地位や名誉もあって人々の敬意を集めているような人が犯人だったりするのです。

問題はこの「意外な」というところです。ゲゼルシャフト、つまり利益社会の特徴は、人間関係の基礎に利益（インタレスト）があるということです。この「インタレスト」には、関心という意味もあります。利益社会で生きる人間は、共通の利益や関心のもとで結び付いている。それは裏を返せば、その利益や関心が消えれば関係も途絶するような一面的な関係ということです。

たとえば、私は大学で教師をしていますが、自分の講義を履修している学生との関係は、基本的に講義時間の九〇分のみです。この九〇分の講義で見せる顔しか、ほとんどの学生は知らないわけです。人物の意外性というのは、実は相手のことをよく知らなかった、あるいは一面しか知らなかったということに過ぎないのですが、そうした一面的な関係を、ゲゼルシャフト化した都市の生活は許すような構造になっている。かような利益社会としての都市が発生したのが大正時代でした。

乱歩のデビュー作である『二銭銅貨』という小説では血なまぐさい殺人事件は起きませんが、これは下宿先の同居人にまんまと騙される話です。また、乱歩小説の代名詞ともいえる明智小五郎が初めて登場した『D坂の殺人事件』では、明智の幼なじみで古本屋の若女将である女性が殺人事件の被害者になり、しかもその死因は女将の性的嗜好にあったことが暴かれていきます。何年ぶりかに再会した幼馴染みが殺され、しかも彼女はマゾヒストだったという意外な結末が待っている。

　顔見知り同士で暮らし、秘密を持つことが困難な共同社会とは異なり、隣人や知人でもこちらの知らない別の顔がある。そういう利益社会ならではの一面的関係が東京に現出したということが、乱歩が書いた探偵小説の誕生の前提であり、また小説のリアリティ発生の基盤になっていたのです。

　大都市の成立に関連してもう一つ指摘しておかねばならないことは、群衆の誕生です。現在の渋谷や新宿の交差点に立つと、平日の日中でも何百人もの群衆が目に入ります。それらの人々は、何か共通の目的があって同じ場所にいるのではありません。ある者は買い物に向かい、ある者は仕事に急ぎ、またある者は特に用もなくそこに立っている。この群衆の発生は、先に触れたベンヤミンも注目したように近代的な事象です。それを促進したのが、ウィンドウショッピングやデパートという近代的な商業習慣の誕生でした。

　ウィンドウショッピングという行動形式が生まれたのは、一八世紀末のパリのパレ・ロワイヤルとされますが、ここから今日のデパートの原型を確立したのが、世界初のデパートとされるボン・マルシェをパリに開業したアリスティッド・ブシコーです。彼は、マガザン・ド・ヌーヴォテという新しいタイプの商店で、商品に正札をつけて面倒な価格交渉を廃止し、薄利多売、入店自由の商売を展開しました。さらに壮麗なファサードやガラス天井、豪華な階段のある建物によって、買い物を煩わしい家事から人々に快楽をもたらす娯楽へと変えたのです。

このデパートが日本に登場したのも大正期でした。その結果、人々はさしたる目的もなく街に繰り出すことになります。こうして繁華街を歩く群衆が誕生し、犯罪者は、そういう群集のなかに身を潜めることができたのです。

密室の普及——鍵のかかる部屋とプライバシー

探偵小説誕生の四つめの要因は、洋室の広がりとともに生まれた密室の普及です。探偵小説を読む醍醐味の一つは、探偵の鮮やかな推理にありますが、探偵の役割は解決困難と思われる事件の謎を解くことです。その謎の最たるものが、密室殺人です。世界最初の探偵小説と言われるエドガー・アラン・ポーの『モルグ街殺人事件』でも密室殺人が発生していますが、この謎を解くことが、探偵デュパンの腕の見せ所の一つでした。

密室とは、ドアにも窓にも鍵がかかっていて、しかも鍵は部屋の中にあって合い鍵もない、部屋には死体だけが残されており、犯人の姿はどこにもないという状態です。この密室を成立させるには、部屋に鍵がかからなければならないのですが、襖と障子でできた伝統的日本家屋では、この状態を作ることは甚だ困難です。

先に触れた『D坂の殺人事件』でも、古本屋の女将が店の奥の居間で殺されますが、乱歩は、これを密室殺人にしました。この密室状態を実現するために、乱歩は、二つある入口のうち、表の店の方は小説の語りである「私」が店をずっと見ていた、もう一つの裏口がある袋小路の方にもアイスクリーム屋が常時立っていたという設定にして、いずれも不審な人物は出てきていないという証言を双方にさせています。

当時の評論家である平林初之輔は、日本の家屋が「孤立的で明けっぱなし」であるから日本での探偵小説の発展は困難だと指摘していました（吉田［2004］）。したがって、鍵のかかる密閉性の強い洋室が日本で普及することは、この密室殺人のトリック作りを容易にさせ、同時に探偵小説の読者にも、密室についての具体的な理解を可能にさせたのです。

松山巖は先に挙げた『乱歩と東京』の中で、明治四〇年代頃に始まったアパート形式の下宿館が一般化したのは、大正中期だと述べています。大正一四（一九二五）年に発表された、鍵のかかる洋室での密室殺人を描いた乱歩の『屋根裏の散歩者』は、東栄館というアパートを舞台にしています。日本社会の近代化に伴う変質や、東京という都市の変貌が、本格的な探偵小説の成立を下支えし、江戸川乱歩という作家の登場を可能にしたのです。

このように、社会学的視点に立って文学作品と社会とを結びつけることは、作品成立の必要条件を明らかにしてくれます。しかし一方で、社会的条件を明らかにしたところで、ある作品が優れた作品であること、その芸術的価値を明らかにすることにはつながらないという批判もあります。この章の冒頭で触れたブルデューの芸術社会学に対し、そうした批判がなされましたが、それに対してブルデューは、芸術を神聖視する思考法そのものがブルジョワ・イデオロギー的産物であることを明らかにしつつ、芸術作品を社会・経済体制から説明する方法も単純な還元主義であると反論しました。

ブルデューは、「文学場」という概念を提示し、芸術を神聖視する思考そのものが発生する場を社会学的に考察し、かつ優れた作品の持つ独創性が生み出される機構を、『芸術の規則』でフローベールの『感情教育』の分析を通じて明らかにしようとします。

その当否は別として、社会学的批評は、芸術作品の美的価値とか文学の独自性という、あるかないかわからないようなものを云々する、雲をつかむような議論に、一定の掣肘を加える効果があったことだけは確かです。文学をその内部から見るのではなく、外側から見るという視点の導入は、文学を過剰に神聖視する視野狭窄からわれわれを救い出してくれることは間違いないでしょう。

第7章 フェミニズム批評

Ⅰ部の最後の章では、フェミニズム批評について考えます。

「フェミニズム」と呼ばれている運動は、かつてはウーマン・リブ（women's liberation）とも呼ばれた女性解放運動に端を発していました。女性を従属的な地位におき、男性にとって都合のいい社会を再生産し続けようとするような体制からの解放を目指し、社会における性差別と戦おうとするものです。

最も初期の女性解放運動の目的は、女性参政権の確立にありました。戦後の日本で日本国憲法が制定され、男女平等が謳われた結果、女性に選挙権や被選挙権などの参政権が付与されました。また一九八五年に制定され、一九九七年に改正された男女雇用機会均等法で示された雇用における男女差別の撤廃も、フェミニズムの一つの成果と言えるでしょう。

ただ、フェミニズムが問題にするのは、こうした目に見える制度上の差別だけではありません。家父長制とも呼ばれる男性中心社会を支える内面の問題にまで対象とされます。

ジェンダーとは何か

そこで新たに提示された概念が、ジェンダーです。男女の生物学的性差を表すセックスに対してフェミニズムが提示したのが、社会的・文化的性差を表すジェンダーという言葉でした。簡単にいえば、「男らしさ」や「女らしさ」といったものです。

どのような仕草、言葉づかい、考え方が男らしいか、あるいは女らしいかは、文化や世代によって異なります。日本語は、欧米の言語に比べると男言葉と女言葉がかなりはっきりしています。たとえば、語尾に「ね」とか「よ」とか「わ」をつけると、女性的な表現となります。男性がこの種の語尾を使うといわゆる「オネエ言葉」になるのはそのためです。

あるいは、男は勇敢でなくてはならないとか、逆に女はおしとやかで控えめであるべきだという考え方もそうです。言葉遣いにしても、振る舞い方にしても、生物学的性差に基づくものではないわけですから、それらはジェンダーに基づく性差別的発想ということになります。たとえば、大学で行われた私の講義に対するアンケートで、学生に「男なのだから、もっと大きな字で書け」と書かれたことがありますが、これも、典型的なジェンダー的発想です。

ただ、フェミニズムにもさまざまな方向性があって、いわゆる「ラディカル・フェミニスト」と呼ばれる人のなかには、男が女を愛し、女が男を愛するという異性愛体制そのものが、家父長制の根本にある。この異性愛を支えるのが生物学的性差で、セックスとジェンダーとの区別も実は家父長制を裏から支えるものだと述べる人もいます。このようにフェミニズムといってもかなり幅があるのですが、ここでは性差別問題を社会的性差＝ジェンダーという観点からとらえるオーソドックスなフェミニズムについて考えていきたいと思います。

さて、このフェミニズムという考え方を批評に導入するとどうなるかというと、まずさまざまなテキストから、女性差別を助長するような表現や発想法を剔抉（てっけつ）するということになります。剔抉といっても、この表現は女性差別的だという検閲のようなことを行うわけではありません。むしろ、一見どこが女性差別的かわからないようなところに、ジェンダーに基づく発想を見出し、それが性差別的な体制を維持するのに貢献していると指摘します。

たとえば第2章で『シンデレラ』を説明した際にも述べたことですが、お城の舞踏会で王子の心を射止めたシンデレラが、わざわざいったん家に帰って王子が自分を探しに来るのを待つという複雑な設定になっているところに、実は、女性が自ら男性に自分を売り込むようなことをするのは、はしたないというイデオロギーが込められていると読むこともできます。

あるいは、これは先に挙げた若桑みどりが指摘していることですが、『シンデレラ』と同様にディズニー映画としてよく知られている『白雪姫』にもまた、強烈なジェンダー・ポリティクスがあります。それは、王女が白雪姫の殺害を決意するきっかけになった場面です。魔法の鏡の前に立った王女はいつものように鏡に向かって、「世界で一番美しいのは、誰？」とたずねます。すると魔法の鏡は「それは王女様です」と答えたあと、「しかしもっと美しいのは白雪姫」と続けます。

　このシーンそのものに特に違和感を持つことはありませんが、もし仮に、この場面に登場する王女が王様で、白雪姫が白雪王子だったとすれば、どうでしょうか。王様が鏡の前で、世界で一番美しい男は誰かなんて聞いていたら、滑稽を通り越して、ちょっと不気味にすら感じられるでしょう。

　つまり、白雪姫のこのシーンは、女性の価値は美しさにあるということ、したがって女性は美しくあらねばならない、というイデオロギーをそれとなく伝える装置になっているとも言えます。白雪姫はその美貌により王子に見出され、お城への帰還が可能になるのですから、この場合、女性の美は男性に見てもらうため、つまり男性中心社会を支える一つの原理とも言えるわけです。

　おとぎ話のような一見人畜無害に見えるもののなかに、ジェンダーに基づく発想がそれとなく書き込まれている。私たちは幼い頃からそういうものに触れることで、知らないうちにジェンダーについての考え方が刷り込まれていくこともあるのです。

歌謡曲とジェンダー

　同様のケースは、現代の歌謡曲にも見られます。次に取り上げるのは、日本の三人の女性歌手の歌です。その三人とは、都はるみ、松任谷由実（荒井由実）、aikoです。後者二人は歌手というより、シンガーソングライターと呼んだほうが正確かもしれません。

はじめに紹介するのは、一九七五年に作詞・阿久悠、作曲・小林亜星で、都はるみが歌ってヒットした「北の宿から」という演歌です。この曲はリリースの翌年にレコード大賞を受賞しました。

北の宿から

作詞：阿久悠　作曲：小林亜星　歌：都はるみ

あなた変わりは　ないですか
日毎寒さが　つのります
着てはもらえぬ　セーターを
寒さこらえて　編んでます
女心の　未練でしょう
あなた恋しい　北の宿

吹雪まじりに　汽車の音
すすり泣くよに　聞こえます
お酒ならべて　ただ一人
涙唄など　歌います
女心の　未練でしょう
あなた恋しい　北の宿

あなた死んでも　いいですか
胸がしんしん　泣いてます
窓にうつして　寝化粧を
しても心は　晴れません
女心の　未練でしょう
あなた恋しい　北の宿

この歌のテーマは、待つ女、あるいは耐える女です。手編みのセーターというのは、かつては女性が自分の一途な思いを男性に伝えるために贈る典型的なプレゼントの一つでした。最近は見かけなくなりましたが、バレンタインデーの前には、セーターやマフラー、あるいは手袋を編んでいる女性を見かけたものです。手編みですからとにかく時間がかかります。ですので、長い時間をかけて彼のことを思いながら編んだセーターは、男性に尽くそうとする女性の気持ちを端的に示す装置となり得ました。

着てもらえないとわかっていながらセーターを編み続けるわけですから、何のためにと尋ねたくなりますが、そこまでして耐える女性が描かれている。この曲はオリコンの一位になるまでに四四週かかっているので、この歌そのものがじっと耐える歌だったとも言えます。

逆に言えば、それだけ長い間、人々の支持を集めていたということで、当時の日本の男性が、いかに耐える女性が好きだったかがよくわかります。なぜ耐える女性が好きかと言えば、自分たちが外でどんなに好き勝手をしてこようと、女性は家庭にいて我慢して帰りを待っていてくれたなら、これほど楽なことはないからです。我慢する女とは、女性の従属的地位にずっと耐えられる、そういう存在を意味しました。

一方、同じ年に発表された松任谷由実（荒井由実）の「卒業写真」はどうでしょうか。リリースから五〇年近く経ているにもかかわらず、卒業シーズンになると日本中のカラオケでいまも歌われる定番曲です。

卒業写真

作曲・作詞・歌：荒井由実

悲しいことがあると　開く革の表紙
卒業写真のあの人は　やさしい目をしてる

町でみかけたとき　何も言えなかった
卒業写真の面影が　そのままだったから

人ごみに流されて　変わってゆく私を
あなたはときどき　遠くでしかって

話しかけるように　ゆれる柳の下を
通った道さえ今はもう　電車から見るだけ

あの頃の生き方を　あなたは忘れないで
あなたは私の　青春そのもの

人ごみに流されて　変わってゆく私を
あなたはときどき　遠くでしかって
あなたは私の　青春そのもの

ここで注目していただきたいのは、「私」は「変わってゆく」のに対して、「あなた」は「そのままだった」というところです。この「あなた」は、荒井由実の高校時代の教師だとも言われていますが、一般にラヴソングとされていて、歌っているのが松任谷由実という女性なので「私」は女、とすると「あなた」は多くの場合、男だと考えられます。女はどんどん変わっていくけれど、男は変わらないという設定は、先の「北の宿から」とは正反対です。「北の宿から」というきわめて性差別的な歌が、男たちによって愛唱されていたのと同じ年に、それとは正反対の意味をもつ歌がなぜ登場し得たのか。

それはとりもなおさず、この曲を作ったのが松任谷由実という女性であったからです。都はるみの場合、彼女自身がそんな内容の詩を望んでいなかったのだとしても、阿久悠という男性作詞家の作った、男の願望をストレートに反映した詩を歌うしかなかったのですが、松任谷由実は、女性の思いをそのまま反映させた詩を自分で書いて、歌うことができた。

松任谷由実は、シンガーソングライターのパイオニアといってもよい人で、選ばれた女性であったからこそ、自分は社会に出て変わっていくけれど、昔の彼は元のままでいて、と主張することができた。忘れてはならないのは、当時の社会はまだ圧倒的に「北の宿から」の世界であり、女性は今よりはるかに従属的な立場にあったということです。

こうした状況に変化が訪れるのは一九八〇年代を迎えてからで、きっかけは、一九八五年に制定、翌年施行された男女雇用機会均等法です。いまでは信じがたいことですが、当時は就職時の男女差別が当然のごとく行われていました。同じ四年制大学を卒業しても、当時の女性は、男性と同じ職種に就けず、転勤も出世もある「総合職」と呼ばれる職種には、女性は応募することすらできなかったのです。均等法施行以後は、少なくとも表向きは女性にも門戸が開かれたので、女性は家庭にいて黙って男性の帰りを待つものだという考え方も徐々に薄れていくことになります。

最後に取り上げるのが、aiko の「三国駅」です。

三国駅

作詞・作曲・歌：aiko

もしもあなたがいなくなったら
あたしはどうなってしまうだろう?
持ち上がらない位に首をもたげて泣くのかなぁ

寒さに堪えきれずに　温もり求めた先に
あなたの指と腕がある
それでいい　それだけでいい

毎日が昨日の様だったのに
何を焦っていたの?

変わらない街並み　あそこのボーリング場
焦っていたのは自分で
煮詰まってみたり　怖がってみたり
繋いだ手を離したくない

「苦しい時は助けてあげる　だから安心しなさい」

自由に舞う　声がする
それでいい　それだけでいい

息を吸おうとする意志
真っ直ぐに　あなたを見つめる為

育ってく小さな心を見落とさないでね
少しならこぼしていいけど
スカート揺れる光の中の
あの日に決して恥じない様に

変わらない街並み　あそこのボーリング場
焦っていたのは自分で
煮詰まってみたり　怖がってみたり
繫いだ手を離したくない
指折り数えた　芽吹いた日々と2人の
帰り道

これは二〇〇五年、ちょうど「北の宿から」や「卒業写真」の三〇年後の曲です。

この「三国駅」は、曲の舞台設定が「卒業写真」に似ています。三国駅は、大阪の阪急電鉄宝塚線に実在する駅で、aikoが学生時代に通学に使っていたとされています。つまりこれは学生時代の恋を回顧して歌った曲とも言え、そういう点で、「三国駅」は「卒業写真」に似ています。

しかしもちろん、違いもあります。まずここで「変わらない」のは昔の恋人、つまり男性ではなく、街並みです。「卒業写真」は、男性に変わらないこと求め、いわば男性に裏方的アンカーの役目を果たさせて、自分は表でどんどん進化していくというものでした。しかし「三国駅」では、「卒業写真」に描かれた「できる女」のように、男に裏方を任せるということはありません。

では、男性に何を求めているか。「三国駅」では、「手を離したくない」とか「苦しい時は助けてあげる　だから安心しなさい」と言ってほしいとか、もっと直截的に要求する。一見これは男にすがる女のように見えますが、「北の宿から」の女性は待つだけで、「あなた死んでもいいですか」と自分の生死の決定権すらない。しかし「三国駅」では、手をつないでいてとか困ったら助けてとか、いろいろと要求し、決して待つだけの女性ではないのです。

「卒業写真」でも要求しているではないかと思われるでしょうが、「卒業写真」では、男にすがりません。なぜなら、彼女は、当時の社会にあっては例外的に自立した女であったからです。男社会のなかに女が入った場合、弱さを見せたら勝てない。だから辛くても助け船は出さずに見ていて、せいぜい「遠くから叱って」なのです。

しかし、「卒業写真」から三〇年が経ち、女性の社会進出もある程度進むと、困ったときには「女」を見せて男に頼ればいい。一部のフェミニストからすれば、こんな女がいるから女性の地位が向上しないのだということになるかもしれませんが、少なくとも「着てはもらえぬセーターを涙こらえて編んで」いるよりはまだいい。また「卒業写真」のように、男社会のなかで頑張って生きている女性とも違います。「三国駅」の女性は、ある程度自立していて、しかし、時々女を見せて男に頼り、それなりに自由を謳歌しています。

こうした状況は最近では、「ポスト・フェミニズム」と呼ばれることもあります。フェミニズムによって、まだ不十分とはいえ、女性の社会進出はずいぶん進みました。しかしそれが女性全体の地位向上に役立ったかというと必ずしもそうでなく、フェミニズムはむしろ女性内部での格差拡大、あるいは勝ち組・負け組などという新しい格差の発生につながったのではないかという批判的考察をするのがポスト・フェミニズムです。

なお、この三つの曲に描かれる女性の違いは、そこで使われている一人称代名詞にも象徴的に表れています。「北の宿から」には、一人称の代名詞は使われていません。そして「卒業写真」では「わたし」、「三国駅」では「あたし」です。

「北の宿から」に一人称の代名詞が登場しないのは、彼女には主体的意志の存在が認められないからです。自身の死の決定権すらないのですから。「卒業写真」の「わたし」は、複数の一人称の代名詞が存在する日本においては最もニュートラルな代名詞で、男でも女でも使える。まさに男社会に伍して生きているという状況を示すものです。

一方、「三国駅」では「あたし」です（ちなみにaikoにおける「あたし」という一人称代名詞の特異的使用について指摘したのは役者でもあるマキタスポーツです）。「あたし」は「わたし」の音韻変化したかたちですが、一般に女性がプライベートで使う代名詞です。そこに、主体性を持ちつつ、他方で男に同化するのではなく、「女」の一面もなくさないというしたたかさが表れているともとれます。

このように、歌謡曲には、当時の社会における女性のあり方が透けて見えます。ここでは詳しく取り上げませんでしたが、作品のなかにあるイデオロギーを剔抉し、それを批判するという「ポスト・コロニアリズム批評」と呼ばれる方法と、フェミニズム批評は基本的に同じであり、イデオロギー批判の一つとして、フェミニズム批評を捉えることも可能なのです。

文学研究法の先にあるもの

かつて文芸評論家の小林秀雄は、文芸批評家がさまざまな批評の方法で作品に接近しようとする態度を、「重たい〈鎧〉で武装するようなものだ」と揶揄しました。さまざまな方法で、さまざまな「真実」に到達したとしても、人はすべての真実を所有することはできないし、結局人は「様々な可能性を抱いてこの世に生まれて来る。彼は科学者にもなれたろう、軍人にもなれたろう、小説家にもなれた、しかし彼は彼以外のものにはなれなかった。これは驚くべき事実である」と、小林はデビュー作「様々なる意匠」で書いています。これは、「私は私の世界から決して出ることができない」という、ウィトゲンシュタイン的独我論を語ったものとも考えられます。

ここまでの前半部で私がやってきたことは、この「様々なる意匠」を示すことでもありました。その意図は、冒頭でも述べたように、さまざまな文学批評の方法に触れることが、コンテクストの設定能力を、つまりはわれわれが生きていくうえで必要なコミュニケーション能力を上げることにつながるのではないかと考えるからです。換言すれば、文学について考えることは、文学とは実学に対する虚学の最たるものだという発想を打破し、文学も実生活と結び付く価値があることを示すためだったということになります。

というのも、私は夏炉冬扇で時宜に即さない、今風に言えば不要不急のものとしての文学の位置に安住してきたこれまでの文学者の態度に、内心忸怩たる思いを持っていたからです。わかりやすく言うと、これまでの文学者は、文学なんて価値がないと自己卑下しつつ、それにより逆に文学の価値を示そうとするような方法をとっていたとも言えます。

しかし、今やこうしたアイロニカルな態度は、受け入れられない。なぜなら、その底意がすぐに読めてしまうからです。だからこそ、文学を擁護したいのなら、文学の価値について真面目に語らねばならないと私は思っています。文学は学ぶ価値がある、それはコミュニケーション能力の向上につながるのだと社会的に認知され、できれば、文学的知識がないと恥をかくような社会になってほしいと考えているからです。文学はコミュニケーション能力の向上に役立つと述べてきましたが、文学の本当の価値はその先にあるのだと実は考えています。

コミュニケーションの先にあるものとは、何か。それは、コミュニケーションの不成立、誰からも理解されないという孤絶の体験を描くことです。どこにも安住の地を見いだせない孤独な自分自身を描いた漱石の『吾輩は猫である』の根底にあったのは、自分が猫のように人とは違う存在かもしれない、誰からも理解されない者かもしれないという恐怖であり、その孤絶への恐怖でした。

では、なぜ、コミュニケーションの不成立を描く文学が、今日重要なのでしょうか。それは現代社会の有り様にかかわっています。一九八〇年代までは分裂病（現在では統合失調症と言われますが、あえて分裂病という名称をここでは使います）の時代で、九〇年代以降は解離性障害、いわゆる多重人格の時代と言われました。今では、この解離性障害も沈静化しているとされますが、分裂病と解離性障害の違いを、私なりにまとめると、こうなります。

分裂病は、人間相互の本質的コミュニケーションの断絶を恐怖する、換言すれば、人は他人のことを決して理解できないのではないかと恐怖する病だったのに対して、解離性障害は、本質的コミュニケーションの断絶に直面することを回避するために、限定された場面・局面でコミュニケーションの断絶を出現させるものだということです。

こうした解離性障害のあり方は、現在のわれわれの生活のあり方の反映とも言えます。人は、さまざまな集団に属し、さまざまな関係を生きています。すると、あるところでは受け入れられなくても、別のところでは受け入れられるというのが常態となります。この人格がダメなら別の人格で応待するということです。誰かに理解してもらえないことはあっても、誰にもわかってもらえないということはあまりない。その結果、人と人の間にある本質的ディスコミュニケーションの問題が、部分的ディスコミュニケーションの問題として置き換えられ、不可視化してしまっているのです。

絶対的ディスコミュニケーションの経験というのはなかなかないわけですが、実は日常のコミュニケーションにおいても、相手のことを本当にわかっているのか、あるいは自分は相手から本当に理解されているのかわからないという感覚は、何かしら残るはずです。日々のコミュニケーションの集積のなかに、この相互の絶対的無理解の影は残り続けるのです。

小林は、批評のさまざまな方法を「鎧」にたとえ、それを纏うことで自分が自分以外の何者かになれたように思う愚を批判しました。「彼は彼以外のものにはなれな」いという厳然たる事実を忘却した批評は無価値だと言いたかったのです。

私がここで実践してきたことは、あえてこの「鎧」を着て見せることでした。それは、自分が自分以外の何かになれることを示すためではありません。「彼は彼以外のものにはなれない」という現実に直面することは、科学者や軍人、小説家といったものになることの末にやってくる認識のはずです。

ここまで、さまざまな意匠で文学作品についての語りを読んでいただきました。みなさんのなかには、そう読めるかもしれないが何か違うというような、小さな違和を感じられた方もいるのではないでしょうか。私は、むしろそうした異和を感じていただきたかったのです。というのも、そうした異和の先にほの見える、絶対的無理解への畏怖のようなものに触れていただきたかったからです。

私がこのような批評入門を書いたのは、文学を学ぶことはコミュニケーション能力の向上につながると真面目に思ってのことですが、文学が真に目指すものは、その先にある、相互の無理解、孤絶することへの畏怖、そしてその畏怖の共有にあると考えています。

II部

文学をふかく読むこと——漱石とともに考える

後半のII部では、「はじめに」で触れたように、夏目漱石の諸作品を扱った文学批評をまず読んでいただきます（論文の体裁のため、第8章は「である」の文体としていることをあらかじめお断りしておきます）。ここでは、前半のI部で説明した精神分析の技法や芸術社会学的方法を使って漱石作品の分析を行います。つまりI部の実践編という意味があります。

しかし、もう一つ別の意図もあります。この文学批評では、漱石作品における「倫理」を主題として扱っていますが、漱石は、「善」とは何かといった倫理学上のテーマを追求したわけではありません。むしろ倫理が成立する基盤、本書の主題に即して言えば、そのコンテクスト＝文脈を問題化しています。それは、後述する「文芸と道徳」という講演録でも展開しています（4　文学への「基本的信頼」）。

そこでの議論をかいつまんで記せば、善悪の基準は時代によって、また社会のあり方によって変化するということです。漱石は、善悪を相対化しただけではなく、西欧において価値の基準となる真・善・美という三つの価値を批判的に論じています。真と善と美は必ずしも並び立つものでなく、相反する場合もあることを、当時文学の世界で勢いのあった自然主義批判として展開しています。真を描こうとする自然主義は、真によって美を毀損するものだというのです。文学的な意味において美が善を犯す場合もあります。

漱石の弟子である芥川龍之介が書いた『地獄変』は、美の完成のために己の娘の死も厭わない絵師を描いた作品です。ここでは美のために善が犠牲にされました。至上の価値を持つ真・善・美といえども、コンテクストによって相反するものであることを漱石は語っています。大切なのは、こうした判断を漱石が自身の作品創作にも向けたことです。

漱石は『虞美人草』という、朝日新聞の専属作家になって最初に手がけた作品で、甲野藤尾という美貌のヒロインを登場させ、彼女が死ぬことで作品に終止符を打ちました。漱石は、弟子の小宮豊隆宛ての手紙で、藤尾には「徳義心」が欠けるので最後に彼女を殺すのが作品の趣意だと述べ、その言葉通りの結末にしたのです。しかし、藤尾は漱石の言うように「徳義心」、すなわち倫理性に欠けていたと言えるのでしょうか。藤尾に倫理性が欠落しているとされたのは、彼女が死んだ父親の決めた結婚相手である宗近一を避け、彼女の家庭教師であった「小野さん」と結婚しようとしたことによります。

しかし、この作品には藤尾以上に倫理性に欠けた人物が登場します。それは藤尾が愛した小野さんです。彼は自身の恩人である孤堂先生を裏切り、また先生の娘で婚約者である小夜子を捨てて藤尾と結婚しようとします。小野さんは免罪され、藤尾にのみ死をもって罪をあがなわせるというのは、不合理かつ不平等です。そうした歪なことをしたのには漱石自身の来歴がかかわっていると言えますが、漱石は藤尾にそうした仕打ちをしたこと自体を問題視していたと考えられます。それは、前期三部作に含まれる『それから』『門』で不倫をなす、あるいはなそうとする人物を主人公に据えたことからも伺われます。

世間一般の道徳観から見れば悪とされる振る舞いも、その「悪」をなす当人からみれば、相応の必然性に基づく行為だということがあります。まさにコンテクストの設定によって「悪」も「悪」ではなくなるということです。ただそれは、構築主義的にすべてを相対化するということを、漱石は自身の文学作品を通じて描こうとしたのではありません。むしろ相対化の先にある動かしがたい人間の実質に迫ろうとしたのです。漱石にとって文学とは、倫理的判断では単純に裁断できない側面を描くものでした。

こうした趣旨の第8章を踏まえた上で展開するのが、教師と二人の学生による対話を描いた後半の第9章です。この章では前期三部作の『三四郎』をはじめに取り上げ、種々の作品に触れたのち、最後で漱石の自伝的色彩の強い『道草』について触れています。『道草』について最後で触れるのは、自らの生育歴にかかわる問題から『虞美人草』のヒロイン藤尾を死に至らしめた漱石が、この『道草』において、自身の生い立ちに真摯に向き合おうとしているからです。

尚、対話形式でこの本を終えようと思ったのは、文学作品を読むという行為が一見孤独な営為に見えて、そこには先行する世代の人々が提示した読みとの対話があるからであり、それを教師と学生の対話というかたちで再現したかったからです。そして、文学作品に触れることは、分断でなく、つながりを目指す意味があることを知っていただきたいと考えました。こうした意図でII部は構成されています。

梗概

はじめに、後半のII部で扱う漱石の作品の梗概（あらすじ）を記しておきます。

◎**『虞美人草』** 夏目漱石の朝日新聞における新聞小説作家としてのデビュー作。甲野藤尾には、死んだ父親の決めた結婚相手である宗近一がいる。しかし、藤尾は宗近との結婚を厭い、家庭教師の小野さんと結ばれようとする。小野さんは、恩人である孤堂先生の娘の小夜子という許嫁（いいなずけ）を捨て藤尾と結婚しようとする。しかし、藤尾の腹違いの兄の甲野欽吾や宗近一の奔走により、小野さんは藤尾との結婚を断念し、そのショックから藤尾は死に至る。

◎**『坊っちゃん』** 「親譲りの無鉄砲で小供の時から損ばかりして居る」で始まる青春小説。親から愛されなかった坊っちゃんは、下女の清の助けもあり、物理学校に学び、卒業後四国の中学校に数学の教師として赴任する。教頭である赤シャツの策略により九州へと転勤を余儀なくされ、また許嫁のマドンナ（遠山のお嬢さん）も奪われる英語教師うらなり（古賀）に同情し、同じ数学教師の山嵐（堀田）とともに赤シャツらに鉄拳制裁を加え、四国を後にする。

◎『**三四郎**』　一九一〜二ページを参照

◎『**それから**』　大学卒業後、定職に就かず高等遊民として暮らす代助のもとに大学の時代の親友・平岡とその妻・三千代が訪れる。平岡は勤めていた銀行で起きた事件の責任をとり、無職となっていた。平岡のつくった多額の借金に困った三千代は、かつての恋人代助に助けを求める。三千代への思いを再燃させた代助は、父の勧める縁談も断り、三千代と一緒になろうと決意し、それを三千代に告げる。三千代も同意するが、それを知った平岡は、代助が不貞行為に走ろうとしていると代助の父に告げ、代助は勘当される。重い病を抱えた三千代にも会うこともできず、代助は、仕事を探しに町へと赴く。

◎『**門**』　下級官吏の宗助と御米には夭逝や死産などで子どもがいない。かつて宗助は、大学時代の親友・安井の内縁の妻であった御米と恋に落ち、それが原因で退学、親とも義絶状態になった。今、宗助は大学生の弟・小六の学費の問題に頭を悩ませている。小六の面倒を見ていた叔父が亡くなり、預けていた宗助の父の遺産も叔父の不手際で無に帰し、残された叔母や従兄弟が小六の扶養が困難だというのだった。官吏の人員整理、満州に渡った安井の帰国などの問題もあり、宗助は鎌倉の禅寺に籠もる。しかしそうした事態もなんとか改善の兆しが見え、春の到来を喜ぶ御米に、じきに冬になると宗助は告げるのだった。

◎『こゝろ』　語り手である「私」は鎌倉で出会った先生に私淑する。妻の静と世捨人のような暮らしをする先生にはある秘密があった。大学を卒業し郷里に帰っていた「私」のもとに先生から遺書が届く。そこには先生の過去が記されていた。先生は叔父に遺産を横領されて人間不信に陥ったが、大学に進学してKという親友もできた。先生と同じ下宿に暮らすKはその下宿の娘（静）に恋をし、先生にそれを告げる。しかし、静を愛していた先生はKに黙って静との結婚の約束を戦争未亡人の静の母親から取り付ける。その後、Kは自殺する。Kの死に罪の意識をもち続けた先生は、乃木大将による明治天皇への殉死を契機に自身も死を決意する。

◎『道草』　二三五～七ページを参照

第8章

漱石と倫理——文学の幼年時代

序　倫理的作家としての漱石

江藤淳は、漱石の全作品に二つの「諧音」が流れていると指摘している。「how to live という問題と how to die（= how to annihilate himself）という問題」である。江藤は、前者を「倫理の問題」に、後者を「超倫理の問題」と換言している。江藤は、「どのようにして死ぬか」の問題を超倫理（= amoral）の問題としているが、たとえば『こゝろ』の先生の場合を見れば明らかなように、死に方の問題には、当事者の倫理的決断がかかわっており、それは、必ずしも、倫理を越えた問題ではない（江藤［1965］）。とすれば、漱石の全作品には隠れた地下水脈のように、倫理的問いが流れているということだろうか。

柄谷行人は、『虞美人草』において漱石は、「意識（心理）に傾斜し、したがって私小説的に狭隘化していく日本の近代小説のなかで、逆に、そのような意識を越えた骨格（性格）をもった世界を構築」しようとしたと言っている。そこで構築された世界とは、坪内逍遙が『小説神髄』で馬琴の『八犬伝』をあげて前近代的と否定した勧善懲悪の世界である。だが、漱石はその後、勧善懲悪式の「道義の世界」を、夢見ながらも、そこから逸脱する小説世界を描いていったと柄谷は語っている（柄谷［1992］）。

柄谷行人が言うように、『虞美人草』までの作品とそれ以後の作品には、断絶がある。したがって、漱石の作品は、単純に倫理的問いを主題化したものとは言えないはずだ。ならば、漱石は、『虞美人草』以降、江藤淳の言う「how to live」と「how to die」という漱石作品に通底する倫理的主題を手放し、アモラルな世界へと向かったのであろうか。

だが、そうとも言えない。不倫を主題化しているとはいっても、『それから』や『門』は、谷崎潤一郎が『卍』や『鍵』で描いた、複数の男女が、道義心とは無縁に、騙したり騙されたりしつつ、ゲームのように入り組んだ性愛関係を結ぶ世界とは明らかに異質であり、漱石作品の登場人物は、自らの犯した罪に怯える者たちであるからだ。

ならば、漱石は、小説をどのようなものと考えていたのか。そしてまた、『虞美人草』の前後に存在する断絶とは、いかなる意味をもっているのだろうか。

1　マニフェスト『虞美人草』

漱石は、文学あるいは小説をどのようなものと見なしていたのか。

一九〇七年、朝日新聞に二七回にわたって発表した「文芸の哲学的基礎」という文章において、漱石は、文芸の理想について語っている。漱石は、芸術には四つの理想があるとする。それは、美的理想、真に対する理想、愛および善に対する理想、そして荘厳に対する理想である。これは、互いに平等な権利を有していて、相互に犯すことのできない基準である。しかし、現代（これが書かれた明治四〇年当時）の文芸の理想は、真のみが重視されているという。これは、小宮豊隆が『夏目漱石』で指摘しているように、当時の文壇を席巻していた自然主義一派のことを念頭においた発言である（夏目［1993］）。

こうした自然主義的文芸理想の問題点を漱石は、真を重視するあまり、その他の理想の美や善や荘厳を破壊してしまうことにあるとする。たとえば漱石は、真の重視が善を破壊する例としてモーパッサンの「首飾り」を挙げる。虚栄心の強いマチルド・ロワゼルは、夫と夜会に出るため、富豪の友人フォレスチエ夫人から首飾りを借りるが、夜会でそれを紛失してしまう。本当のことを言えないロワゼル夫妻は、借りたのと同じようなダイヤの首飾りを借金をして買い、そのまま返す。その後の一〇年、マチルドはその借金返済のために身を粉にして働く。一〇年の苦労の末すっかり老け込んでかつての面影もないマチルドはフォレスチエ夫人と偶然再会し、首飾りにかんする経緯を話す。するとフォレスチエ夫人は、マチルドにあのとき貸した首飾りは、イミテーションであると告げる。

漱石が批判するのは、このフォレスチエ夫人の言葉である。マチルドが虚栄心を捨て、苦労に苦労を重ね借金を返済する様は、「立派な心掛けで立派な行動」であるにもかかわらず、最後の一句によりそれが台無しになってしまうからだ。最後に、あのダイヤが模造品とわかってしまうと、「暗に人から瞞されて、働かないで済んだ所を、無理に馬鹿気た働きをした事になって居るから、奥さん（マチルド）の実直な勤勉は、精神的にも、物質的にも何等の報酬をモーパサン氏もしくは読者から得る事ができない様になって仕舞」うということである。その点で、この作品は「同情すべき善行をかきながら、同情を表してはならんと禁じた」ものとなっており、「真相を穿つにしても、善の理想をこう害しては、私には賛成できません」と漱石は結論する。

この「文芸の哲学的基礎」は、明治四〇年五月四日から同年六月四日まで、「東京朝日新聞」に掲載されたものである（大阪朝日新聞では五月九日から六月四日まで）。続く同年六月二三日から は、『虞美人草』が同じ「東京朝日新聞」と「大阪朝日新聞」で連載開始されており、この「文芸の哲学的基礎」は『虞美人草』の哲学的基礎になっていると言ってもよい。

実際『虞美人草』について度々言及される、小宮豊隆宛の手紙での藤尾についての言及は、この「文芸の哲学的基礎」を通して見ると、その趣旨が明瞭になる。

藤尾という女にそんな同情をもってはいけない。あれは嫌な女だ。詩的であるが大人しくない。徳義心が欠乏した女である。あいつを仕舞に殺すのが一篇の主意である。うまく殺せなければ助けてやる。然し助かれば猶々藤尾なるものは駄目な人間になる。最後に哲学をつける。此哲学はセオリーである。僕は此セオリーを説明する為に全篇を書いているのである。だから決してあんな女をいいとおもっちゃいけない。小夜子という女の方がいくら可憐だか分かりゃしない。(七月一九日　小宮豊隆宛書簡)

漱石は、この手紙の内容通り、この手紙の日付から約三カ月後の一〇月二九日に最終回を迎える『虞美人草』に、藤尾の死で以て終止符を打っている(ただし藤尾の死は、最終回の三回前の第一二四回目で起きている)。この藤尾の死は唐突で、いかにも作り物めいており、漱石の作品で失敗作という評価のある『虞美人草』の中でも、最も評判の悪いところである。

東京朝日新聞社会部長で漱石の同僚でもあった渋川玄耳宛七月一六日の手紙では「虞美人草のわからないと云うのはうちへくるものからも大分ききます」とあるから、漱石が、強引とも言えるかたちで藤尾に死をもたらしたのは、作品の自然な流れというよりも、確信犯的なところがあったと考えられる。そのような結末にしたのは、この手紙にある「徳義心」という視点からであった。モーパッサンの「首飾り」の結末が「善の理想」を害するものであったのに対し、『虞美人草』では、作品に善の理想を付与するために、藤尾を殺す必要があった。それは、この『虞美人草』は、漱石が、一高と東大の教員の職というステータスを捨て、当時は「ヤクザな稼業」と見なされていた新聞社の社員になるという冒険をなした、その朝日新聞入社後最初の連載小説であることにもかかわるだろう。

貴重な職を捨てて就いた職場での最初の仕事なのだから、そこに漱石が自身の文学観をできる限り盛り込もうとするのは当然といえば当然のことである。つまり、『虞美人草』は、入社後最初の連載小説であるだけでなく、彼の文学的マニフェストであり、その実践版という意味も持っていたはずだ。だからこそ、多少強引でも、モーパッサンなどのフランス自然主義作家の作品に欠けている、「善の理想」という「哲学」をつけるために、藤尾には死んでもらわねばならなかった。

だが、藤尾は、本当に殺されねばならぬ程の「嫌な女」なのだろうか。藤尾は死を以て報いねばならぬ程の一体どんな悪事をなしていたのだろうか。

『虞美人草』において最も道義に反する行動を取っているのは、藤尾よりも、藤尾と結婚しようとする小野の方である。小野は、かつて世話になった孤堂先生との約束、すなわち孤堂先生の娘の小夜子を妻にするという約束を反故にして、藤尾と結婚しようと画策するからだ。藤尾も死んだ父と宗近さんの父との間で交わされた、藤尾を宗近一の妻にやるという約束を無視しようとしている点で、徳義心に欠けるともいえよう。しかしその約束は、小野の場合のように本人が交わしたものでなく、約束した一方、つまり藤尾の父は死んでしまっている。また小野の場合、違約だけでなく、親もなく貧窮したときに孤堂先生に養ってもらったという恩もある。だから、小夜子を捨てることは、恩を仇で返すことでもあり、藤尾よりもはるかに罪が重いと言える。そうであるにもかかわらず、死を以て罰せられるのは、小野でなく、藤尾である。ならば、漱石は、藤尾のどこに死に値するだけの罪を見出しているのだろうか。漱石は藤尾について次のような描写を加えている。

> 愛せらるるの資格を標榜して憚(はばか)らぬものは、如何なる犠牲をも相手に逼(せま)る。相手を愛するの資格を具えざるが為である。盼(へん)たる美目に魂を打ち込むものは必ず食われる。小野さんは危い。倩(せん)たる巧笑にわが命を托するものは必ず人を殺す。藤尾は丙午(ひのえうま)である。藤尾は己の為にする愛を解する。人の為にする愛の、存在し得るやと考えた事もない。詩趣はある。道義はない。

この記述を読む限り、藤尾が悪であるのは、愛されることを求めるばかりで、自分から人を愛さないためということになる。

それだけのことで死なねばならぬのかと思われるが、もちろん別の解釈もある。フェミニストならば、藤尾が死なねばならぬのは、男達の絆を断ち切る存在であるからだと言うだろう。すなわち、宗近と小野とを両天秤にかけ、また自分の父と宗近の父との間で結ばれた約束を反故にし、さらに小野に小夜子を捨てさせることで孤堂先生との師弟の絆をも断ち切らせようとしている。もちろん最後は、藤尾の預かり知らぬことであるが。『男同士の絆』で名高いイヴ・K・セジウィクのいう男たちの間のホモソーシャルな関係（ホモフォビアとミソジニーを特色とした男性中心社会を作り原理）を壊乱させ、男を結びつける友愛＝兄弟愛を無にしようとする存在である点で、藤尾は究極の悪なのだ。小森陽一は「鼎談漱石を生きる人々」（小森〔2000〕）で『虞美人草』の主題は「ホモソーシャルな権力社会を維持してくために女を利用するというところにある」と指摘している。

漱石山脈とも称される、漱石と弟子達との間にホモソーシャルな関係性があったということはつとに指摘されていることだ。また、漱石自身にホモソーシャルな欲望があったことは否定できないことだろう。だから『虞美人草』に漱石のそうした欲望が現れているという読みも可能だろう。しかし、フェミニズム的視点から漱石の作品を、あるいは漱石自身を断罪しても、得るものは多くなかろう。問うべきは、なぜ藤尾は死なねばならないのかだ。

結論を先に述べる。藤尾は、悪をなしたから死なねばならないのではない。藤尾の存在そのものが悪なのだ。死ぬことによって、藤尾の悪の属性が完成する。藤尾は死ぬことによって、完全な悪となるのである。

ではなぜ、藤尾は悪なのか。それは、『虞美人草』だけを見ても明らかとはならない。

2　マドンナの『それから』

藤尾の死の意味を確定するために召還せねばならないのは、『坊っちゃん』であり、『坊っちゃん』に登場するマドンナである。

『虞美人草』の藤尾は『坊っちゃん』のマドンナの末裔と言える。『それから』が三四郎の「それから」を描いたものなら、藤尾は、マドンナの「それから」を描いたものだ。佐伯順子は、『坊っちゃん』に登場するマドンナをフェミニズム的観点から声を奪われた存在と規定しているが（佐伯［1999］）、『虞美人草』の藤尾は、声を得たマドンナである。

マドンナもまた、藤尾同様に、親同士の約束を無視し、うらなり君を捨て、より条件の良い赤シャツに鞍替えしようとしている。それ故、マドンナは山嵐の「かの不貞無節なる御転婆を事実の上に於て慚死（ざんし）せしめん事を希望します」という発言が示しているように、死を以てその不貞の罪に対する贖罪を期待された存在であった。だから、『虞美人草』において藤尾が死なねばならぬのは、江戸の仇を長崎でうつ式に、『坊っちゃん』で果たされなかったマドンナの死を遅ればせながら実現するためのものだったのだ。

つまり、藤尾の死は遅延されたマドンナの死である。とすれば、藤尾の死の理由を知るには、『坊っちゃん』を見なければならない。

ならば、なぜマドンナは「慚死」に値する女なのか。

先に引用したように、マドンナの罪は、婚約者のうらなり君を捨て赤シャツに走ろうとしたからだった。それはうらなり君の家がその父の死以降零落する傾向を見せ始めたからだ。この約束を反故にし、自分に好都合な婚家を選ぼうとするところが、坊っちゃんの言葉を使えば

「不慥（ふたしか）」だからこそ、死に値するということだ。しかし、それでは、『虞美人草』の場合と大差なく、死に値するほどの罪とは言えない。

そもそも、マドンナにしろ、藤尾にしろ、その行動が不道徳というのはやや首肯し難い。佐伯順子は、マドンナの行為は、彼女の意志によるよりも、親の意向をより反映したいわゆる「脅迫結婚」である可能性が高く、マドンナ一人の責任に帰すのはお門違いだというようなことを述べている（佐伯前掲書）。たしかに『坊っちゃん』の場合だけ見れば、そうとも取れる。だが、マドンナの「それから」である『虞美人草』を見れば、親の決めた相手の宗近を捨て小野に向かおうとするのには、藤尾の母の意向もあるものの、より積極的なのは藤尾の方だ。だから、親の決めた事柄だということでの免罪は、藤尾にはあてはまらない。

とは言っても、マドンナの行為は、罪に値するようなものとは言い難い。

もう死語になりつつあるが、かつて女性の結婚は「永久就職」と呼ばれたりした。こうした比喩が成立したのは、女性は結婚すると仕事を辞めて専業主婦になるのが自明視され、かつ男性も一度企業に就職すればめったなことがない限り定年までその会社に留まるという終身雇用の社会があったからだ。女にとって結婚とは、男にとってその後四十年余り帰属し続ける就職先を選ぶ行為と同等のものであった。

たとえば二〇二〇年のコロナ禍により業績の悪化した企業は多数あった。一部上場の有名企業から内定を得ていたとしても、業績が悪化していたならば、別の企業への就職を考える者も多くいるだろう。逆に、倒産の可能性のある企業に踏みとどまろうとする者を、人は忠義のあるものとして賞賛するだろうか。当然、他の企業に宗旨替えする行動を合理的とみなすのではないか。とすれば、没落しつつあるうらなり君を捨て、前途有望な赤シャツを選ぶマドンナの場合は、なぜ批判されねばならないのか。

通常そこであり得る批判は、結婚は、就職といった営利活動ではなく、愛に基づくものであるからだということになろう。

『坊っちゃん』では、マドンナとうらなり君の間の恋愛感情は問題にされておらず、坊っちゃんたちがマドンナを叱責するのは、破約という信義を廃れさせる行為で、愛を捨て実利を取ったというようなことではない。『虞美人草』では、愛が問題として浮上しているが、漱石は、恋愛感情そのものを必ずしも肯定的に描いてはいない。


「あなたは夫（それ）で結構だ。動くと変ります。動いてはいけない。」

「動くと？」

「ええ、恋をすると変ります。」

女は咽喉（のど）から飛び出しそうなものを、ぐっと嚥（の）み下した。顔は真赤になる。

「嫁に行くと変ります。」

これは、甲野欽吾が、宗近の妹糸子と会話する場面である。恋をすると、結婚すると女は変わるという。なぜか。それは、恋において、女は、男を誘惑する存在に変貌するからだ。つまり、愛か金かという選択以前に、漱石は、『虞美人草』において、恋愛そのものを否定的対象として扱っている。ときどき、愛情は、女に不利な条件での結婚を受け容れさせる装置として機能していると主張するフェミニストがいるが、愛に基づく行為とは、本来自己犠牲的なものである。男女間の恋愛に留まらず、親子の愛やあるいは友情も、自己の不利益を顧みないところがある。いや、自己の不利益を顧みない過剰な行為に人間は愛を見出すというべきだろう。

このように、愛情という観点からマドンナや藤尾の振る舞いを批判することはできない。うらなり君と赤シャツ、マドンナという三角関係だけ取り上げれば『坊っちゃん』と『虞美人草』との間には大きな径庭はないのだ。ならば、藤尾の死そしてマドンナの慚死の理由はどこにあるのだろうか。

3　清 vs. マドンナあるいは「良い乳房」vs.「悪い乳房」

それを明らかにするには、『坊っちゃん』に登場する女性に着目する必要がある。

『坊っちゃん』には、三人の母が登場する。一人は、坊っちゃんの実の母である。二人目は、坊っちゃんの実質的母といってもよい清だ。そして三人目は、聖母すなわちマドンナである。

三人のうち坊っちゃんの実の母は、小説の冒頭で死んでしまっている（その意味については後で触れる）。清もまた肺炎で死んだと小説の最後で語られる。したがって生き残っているのは、マドンナだけで、それが『虞美人草』における藤尾の死という形での遅延された死を呼び込むことにもなる。だが、結論を急ぐ前に、まず注目せねばならないのは、清とマドンナの関係だ。戸主権と家督の長子単独相続を基本とする明治民法下では、長男と次男坊以下の子との扱いには歴然とした差が出ることに石原千秋は着目した（石原［1999］）。石原の指摘通り、次男坊の坊っちゃんは、親からは目をかけられていない。むしろ厄介者扱いされている。その坊っちゃんをわが子のようにかわいがったのが、下女の清である。

清は時々台所で人の居ない時に「あなたは真っ直でよい御気性だ」と賞める事が時々あった。然しおれには清の云う意味が分からなかった。好い気性なら清以外のものも、もう少し善くしてくれるだろうと思った。清がこんな事を云う度におれは御世辞は嫌だと答えるのが常であった。すると婆さんは夫だから好い御気性ですと云っては、嬉しそうにおれの顔を眺めて居る。（中略）

母が死んでから清は愈おれを可愛がった。時々は小供心になぜあんなに可愛がるのかと不審に思った。つまらない、廃せばいいのにと思った。気の毒だと思った。夫でも清は可愛がる。折々は自分の小遣いで金鍔や紅梅焼を買ってくれる。寒い夜などひそかに蕎麦粉を仕入れて置いて、いつの間にか寝ている枕元へ蕎麦湯を持って来てくれる。時には鍋焼饂飩さえ買ってくれた。只食い物許りではない。靴足袋も貰った。鉛筆も貰った。帳面も貰った。是はずっと後の事であるが金を三円許り借してくれた事さえある。

清が坊っちゃんを可愛がることに、合理的根拠がない。「好い御気性」だからだと清は言うが、坊っちゃんの言う通り、本当に坊っちゃんの気性が善良なものなら、周囲の人間からもっと愛されたはずである。清が坊っちゃんに示す好意は「あばたもえくぼ」ということである。つまり、清にとって坊っちゃんは、好い気性だから愛するに値するのではなく、愛しているからこそ、坊っちゃんのどのような気性も善となるのだ。だからこそ清は、なにくれと坊っちゃんの世話を焼き、坊っちゃんが望んでもいないのに、あれこれ買い与えてやるのだ。ただ物を買ってくれるから、有り難いのでない。寒い夜には、蕎麦湯や鍋焼きうどんを買い与え、坊っちゃんが風邪を引かないように心遣いを見せる。清が坊っちゃんに見せるこの細やかな情愛は、母親が子に対してみせる無条件の愛と同じものである。

ジャック・ラカンやドゥルーズにも影響を与えた精神分析家メラニー・クラインは、幼児にとって自分の欲望を十全に満たしてくれるものは「良い対象」であり、逆にそれを阻害するものは「悪い対象」であるとした。例えば、幼児に栄養と快感をもたらす乳房は「良い乳房」であり、逆にそれを満たさず自分を拒絶する乳房は「悪い乳房」である。自分の欲望を満たしてくれる「良い対象」に子どもは想像的に一体化することで（普通は母親との一体化）子どもは、自分がこの世に生まれたことを善として肯定できるようになる。エリクソンの言う「基本的信頼」の確立である。また同時に自己の存在を脅かす「悪い対象」へと子どもは攻撃衝動を持つようになる。親からは十全な愛を注いでもらえなかった坊っちゃんは、清の示す無条件の愛により、この「基本的信頼」を確立したと言ってもよいだろう。

つまり、坊っちゃんにとって、清は想像的同一化の対象であり、基本的信頼を確立させてくれた「良い対象」＝「良い乳房」である。とすれば、聖母つまりマドンナとは、自分の欲望を満たしてくれようとはしない「悪い対象」＝「悪い乳房」であるのだ。

だがそもそも、なぜ自分の欲望をすべて満たしてくれるはずの「良い乳房」が、突然正反対の「悪い乳房」へと変貌を遂げるのか。

それには、フロイトのエディプス・コンプレックスの視点でとらえるとわかりやすいだろう。父－母－子というエディプス複合において、子が父に対して敵意を持つのは、父が自分から母を奪おうとするからだが、それは、母が母でなく、女になることを意味する。子どもにとって母は母であり、一人の女ではないが、母からすれば、自分は元々母でなく、一人の女であった。ボーヴォワールは「人は女に生まれるのではない、女になるのだ」と言ったが、女は母として生まれるのでなく、母になるのだ。しかし、子どもにとって、この関係は逆転している。母は最初から母なのであり、エディプス期において子が学習せねばならないのは、母が元々は女であったという事実である。母が女となるのは、父を誘惑するときだ。そしてその瞬間こそ、子にとって、母が自分の欲望を満たそうとしない「悪い乳房」へと転化するときである。

聖母＝マドンナが「悪い対象」＝「悪い乳房」であるのは、うらなり君を捨て、赤シャツに乗り換えようとしたからではない。そもそも恋愛の対象として、もっといえば男の欲望の対象として男たちの前に現れているからだ。マドンナは、この「悪い対象」＝「悪い乳房」を体現した女として死を求められるのだ。

『虞美人草』において、甲野欽吾が、糸子に「恋をすると変わる」といって恋愛そのものを悪であるかのように語ったのは、恋愛において、母は、子である自分を顧みない「悪い対象」＝「悪い乳房」へと変貌を遂げるからだ。補足すれば、ここに男の欲望の矛盾した構造が明らかになる。すなわち、男は女を欲望しつつ、女が欲望の対象として自身の前に立ち現れることを最も恐れている。というのも、女が欲望の対象として立ち現れる瞬間とは、かつて母が幼児であった自身を顧みない「悪い乳房」となったときを象徴的に反復することになるからだ。男は、女の媚態を欲望しつつ、その媚態を最も嫌悪し恐れるものである。

内田樹は「漱石にとって糸子と清は女性のひとつの理想の姿である」と言っているが（内田［2002］）、糸子は『虞美人草』に登場する女性の中で最も価値の低い女として位置づけられていることに注意すべきだろう。京都を訪れた宗近は宿屋から偶然見かけた小夜子を評して「ああ別嬪だよ。藤尾さんよりわるいが糸公よりは好い様だ」と言っているからだ。漱石が小宮豊隆宛の手紙で、藤尾を「嫌な女」といい、さらに小夜子についても「いくらか可憐だが分かりゃしない」と書いたのも、小夜子は、小野に恋する女として、男の欲望の対象として現前していたからであり、唯一言及のない糸子が最も信頼に足る女のように描かれるのも、彼女のみ、いまだ男たちの欲望の対象として正式に登録されていないからだ。ついでに言っておくと、甲野欽吾の継母が「謎の女」と呼ばれるのも、彼女のみ、母である点で、完全に男たちの欲望の対象から除外されているからだ。

ところで、清＝「良い対象」つまりは善で、マドンナ＝「悪い対象」すなわち悪という善悪の単純な二項対立は、『坊っちゃん』の世界に登場する他の人物にも割り振られていく。すなわち、山嵐・うらなりが善で、赤シャツ・野だ（いこ）が悪という対立関係だ。『坊っちゃん』の世界がこうした単純明快な二項対立で構成されていることに漱石は自覚的であった。

> 人生観と云ったとて、そんなむずかしいものじゃない。手近な話が『坊ちゃん』の中の坊ちゃんという人物は或点までは愛すべく、同情を表すべき価値ある人物であるが、単純過ぎて経験の乏し過ぎて現今の様な複雑な社会には円満に存在しにくい人だなあと読者は感じて合点しさえすれば、それで作者の人生観が読者に徹したと云うてよいのです。（「文学談」）

坊っちゃんの行動原理である勧善懲悪式の二項対立的世界観は、いかにも単純である。現実の世界では、善が悪に反転し、悪が善をなすのが当たり前である。そもそも、冷酷な殺人鬼であっても、四六時中悪事をなしているわけではない。『蜘蛛の糸』の犍陀多同様、小動物の命を救うくらいの善行はしているはずだ。同様に、一点の曇りもない善人などいるはずもない。善はあくまでも善で、悪はどこまでも悪であるという世界は、子ども向けのヒーローものに描かれる「ひとつのメルヘン」でしかない。

『坊っちゃん』の世界にしてからが、坊っちゃんはいきり立って赤シャツたちに制裁を加えていい気になっているが、赤シャツたちがどれほどの悪事をなしたわけでもない。マドンナもまた然りである。したがって、坊っちゃんの認識と現実の世界との間には明らかに乖離がある。この乖離が、『坊っちゃん』にユーモア小説の趣を与えることにもなるのだが、同時にそうした一種アナクロニスティックな坊っちゃんの態度は、平岡敏夫のように明治維新において敗北した佐幕派の系譜を見出したり、あるいは小谷野敦のように公平浄瑠璃の原型を、さらには維新下で消えゆく武士的なエトスへのレクイエムを読み取るというような、坊っちゃん的なるものの系譜学を成立させる起源ともなる（平岡［2012］）。

ならば、漱石は、日本から失われた、あるいは失われつつあるエトスの再現を『坊っちゃん』を通じて試みたのだろうか。

4　文学への「基本的信頼」

漱石は、「文芸と道徳」という講演録の中で江戸時代の道徳についてこう語っている。

昔の道徳、是(これ)は無論日本での御話ですから昔の道徳といえば維新前の道徳、即ち徳川氏時代の道徳を指すものでありますが、其(その)昔の道徳はどんなものであるかと云うと、貴方(あなた)方も御承知の通り、一口に申しますと、完全な一種の理想的の型を拵(こしら)えて、その型を標準として、又其型は吾人が努力の結果実現のできるものとして出立したものであります、だから忠臣でも孝子でも若(も)しくは貞女でも、悉(ことごと)く完全な模範を前へ置いて、我々如き至らぬものも意思の如何、努力の如何に依っては、此(この)模範通りのことが出来るんだと云ったような教え方、徳義の立て方であったのです。

江戸時代においては、道徳規範が明治時代よりもはるかに厳格であり、また江戸の人々もその規範に忠実であったということだ。というと、漱石はゴリゴリの復古主義者、保守という印象を与えるが、決してそうではない。そうした江戸的規範に対して、漱石は冷徹な視線を注いでいる。

今の人から見れば完全かも知れないが実際あるかないか分からない理想的人物を描いて、それらの偶像に向かって瞬間の絶間(たえま)なく努力し、感激し、発憤し、又随喜し渇仰して、そうして社会からは徳義上の弱点に対して微塵の容赦もなく厳重に取扱われて、よく人が辛抱して居ったものだという疑いも起る。

注意すべきは、漱石が、江戸時代においても、そのような道徳規範は理想にすぎず、実在しなかったと指摘していることだ。江戸時代には、完全無欠の忠臣や貞女の鑑といった者が実在したのではない。江戸の人々とは、そのような規範が、絵に描いた餅ではなく、どこかにいると信じていたというのだ。ちょうど子どもが、仮面ライダーなどのヒーローが想像上のものでなく実在すると信じるように。だから漱石は、「科学的の観察」が進み、批判的精神を持った現代人には、そのような理想的人物の存在を素朴に信じることができなくなったという。また交通手段の発達がその傾向に拍車をかけたとする。仮に仙人のような人物がいるという噂が発生すると、そこに人々が群がり、四六時中その人物の行動が注視され、ついにその人物の非仙人的行動が人々の目に晒されてしまう。いわばメディアの発達が、完全無欠の聖人君子という存在を許さなくなったということだ。それを漱石はこのように表している。

たとい如何な忠臣でも孝子でも貞女でも、一方から云えばそれぞれ相当の美徳を具えているのは無論であるが之と同時に一方では随分如何わしい欠点を有っている、即ち忠であり孝であり貞であると共に、不忠でもあり不孝でも不貞でもあると云う事であります。

この世に純粋な悪、無欠の善もないのであり、忠臣もどこかで不忠の徒となるし、貞女もまたあるときは不貞の人となるのだ。だから、教師といえばあくまで君子であらねばならず、芸者買いなどすることもっての外であり、女もまた男の間で右往左往せず、決められた男にどこまでついて行くべきだとする坊っちゃん的認識は、アナクロニズム以外のなにものでもない、ということを漱石自身知悉（ちしつ）していた。

だとすれば、なぜ漱石は、『坊っちゃん』や『虞美人草』で時代錯誤的勧善懲悪図式を導入しようとしたのか。そこでもう一度問わねばならないのが、『坊っちゃん』に登場する三人の母の問題だ。

先に、清は「良い対象」＝「良い乳房」でマドンナは「悪い対象」＝「悪い乳房」だといった。この「良い対象」「悪い対象」について、かつて『戦争を知らない子供たち』でレコード大賞まで受賞した精神科医の北山修が興味深い指摘をしている。

> 私たちが過去の運動会を思い出すと、多くの運動会の日が晴れ上がっている（良い日）か雨の日（悪い日）かのどちらかだったが、大人になると多くの運動会が曇りの日（良くも悪くもない日）に行われていることを知る（北山［2001］）。

ここで北山が言う「良い日」「悪い日」は、メラニー・クラインの「良い対象」＝「良い乳房」「悪い対象」＝「悪い乳房」の比喩である。幼児にとって、この「良い対象」と「悪い対象」は相容れぬものである。幼児特有の、こうした截然とした二分法が、子ども時代の、快晴の「良い」運動会と土砂降りの「悪い」運動会という記憶として残るというのだ。

だが、「良い乳房」も「悪い乳房」も元々同じ母親の一部である。したがって、現実には完全無欠の「善」もまた絶対的「悪」も存在しない。あるのは、適度に「良かったり」相応に「悪かったり」するものでしかない。「良い乳房」の所有者で「善」なる母親に、「悪い乳房」すなわち「悪」の側面もあると認識することは、子どもに「幻滅」をもたらす。しかし、この「幻滅」なくしては、成熟もまたあり得ない。問題は「幻滅」のあり方である。北山は、イギリスの小児科医・精神科医のウィニコットによりつつ、「子の成長に従い育児に段階的に失敗する母親」のもたらす「幻滅」を望ましいものとする。逆に急激な「幻滅」は、人の生を支える「良い対象」すなわち「基本的信頼」の喪失につながり、人から現実への生き生きした関心を奪ってしまう。段階的「幻滅」ならば、「基本的信頼」は保持される、と北山は指摘する。

『坊っちゃん』の清が「良い乳房」つまりは完全な善であり、マドンナが「悪い乳房」すなわち純粋な悪であるというのは、フィクションに過ぎない。そもそも「良い乳房」も「悪い乳房」もともとは同じ母の一部であるのだから。『坊っちゃん』に登場する三人の母のうち、坊っちゃんの実の母が冒頭から死なねばならないのは、この単純明快な二分法を維持させるためだ。つまり、「良い乳房」の側面を清、「悪い乳房」の面をマドンナに委譲して、自身は坊っちゃんの世界から退場する必要があったのだ。

だが、やはり「良い乳房」「悪い乳房」という善悪二分法は、フィクションに過ぎない。いずれは、人はその「メルヘン」から覚醒せねばならない。それは、北山の言う通り、幻滅をもたらす。「良い乳房」の所持者である母が、自分を省みず男を誘惑する、「悪い乳房」を体現するあの女でもあると知ることになるのだから。「メルヘン」からの急激な覚醒は、「基本的信頼」すら奪いかねない。『坊っちゃん』において、清がどこまでも坊っちゃんを支える存在として描かれたのは、「メルヘン」からの覚醒により「基本的信頼」までも失わせないようにする配慮からだ。だが、同時に小説の最後で清の死について語るのは、清が「良い乳房」=「良い対象」であるということも、実はフィクションであったということをそれとなくわからせるためである。そして、『虞美人草』でマドンナの末裔の藤尾が死なねばならないのは、勧善懲悪図式を完成させるためだけではなく、マドンナが「悪い乳房」=「悪い対象」であるということも「メルヘン」だということを遅ればせながら告知するためであった。

漱石が、モーパッサンをはじめとした自然主義を批判したのは、そこに道義性が単に欠落しているからではなかった。漱石は、事実を描くことの価値を否定したのでない。問題は、真実の描写を通じて、この世には完全な善もなければ悪もない、というニヒリストが生み出されることだ。小説は、そのような拗ね者をはびこらせるための道具ではない。たしかに、忠臣は不忠の徒になるかもしれず、貞女もどこかで不貞を犯すかもしれないが、だからといってこの世は、生きるに値しない世界だと高をくくらせてはならない。「良い乳房」など幻に過ぎぬとしても、母から全き愛を享受したあの瞬間は幻ではなく、この世にあることがそもそも祝福されたことであると、そうした「基本的信頼」をどこかで下支えするのが、小説の役割だと見なしていたのだ。

『坊っちゃん』や『虞美人草』は、単に「基本的信頼」を描いた小説であるに留まらず、漱石の、小説に対する、文学に対する「基本的信頼」をこそ表明した作品であるのだ。漱石が、大学の職をなげうって小説家に転身したのは、金のためだけではなく、教員の生活に単に飽いたからではない。文学への「基本的信頼」があったからである。『虞美人草』がマニフェストであるというのは、そのような意味においてであった。

5　坊っちゃんの「それから」

『坊っちゃん』『虞美人草』を通じて、漱石は「よい対象」「悪い対象」という善悪二分法的世界が「メルヘン」であることを確認すると同時に、生への「基本的信頼」と文学そのものへの「基本的信頼」をマニフェストした。漱石が、その後向かった場所は、この世には、完全な善もなければ全き悪もないという相対の世界だった。そしてそこは、『虞美人草』を通じて描こうとした道義ある世界とは逆の世界。倫理の欠落した世界だった。

ならば、なぜ漱石は、そのような反=倫理的世界を描こうとしたのか。

倫理の欠落した相対の世界を描いた前期三部作の最初の『三四郎』において、主人公の三四郎が熊本からの上京者であることは重要だ。登尾豊も指摘していることだが（登尾［1994］）、熊本から上京する三四郎は、東京から松山へと向かう坊っちゃんとは、対照的な関係にある。

登尾は、坊っちゃんも三四郎も場所は違うが等しく故郷を慰撫の地と捉えているというが、注目すべきは、坊っちゃんの暮らす東京にはもう清はいないということだ。それは、先に述べた通り善悪二分法的世界の終焉を告げている。そして、『三四郎』においても、冬休みに三四郎は帰郷することが暗示されているが、彼にとっても故郷は、もはや真に慰安を保証する地ではないだろうということだ。それは、三四郎に帰郷を要請する母の手紙に記されている。母の手紙には、大工の角三が山で博打をしているうちに眠り薬を嗅がされ、その間に九八円巻き上げられたという事件について書いてあり、その結びには、次のような訓戒がついていた。

> 田舎でも斯(こ)うだから、東京にいる御前なぞは、本当によく気を付けなくては不可(いけ)ない。

田舎でもまた、睡眠薬による強盗が登場するような時代になっていた。田舎もまた一切の不安なしに安住できる地ではない。とすれば、『三四郎』は、松山という勧善懲悪の世界を脱した坊っちゃんのこれまた「それから」を描いたものと捉えることができるだろう。

坊っちゃんの「それから」である三四郎の前に開けた世界は、三つの世界に別れると三四郎は語る。一つは「明治十五年以前の香がする」世界であり、「なつかしい母さえ此所に葬ったかと思」われる世界である。それは、『坊っちゃん』で言えば清に象徴される「良い乳房」の支配する世界である。二つめは、「苔の生えた煉瓦造り」の、「書物」の支配する世界であり、広田先生や野々宮のいる世界である。これは、学問あるいは学校空間である。学問の世界とは、真理の支配する世界であり、つまりそこにあるのは、真か偽かの二項対立、排中律の支配する世界である。それは形式的には、坊っちゃんの松山での行動を支配した善悪の二分法に類比できるものだ。つまり、真はあくまでも真であり、偽であることはなく、真でもあれば偽でもあるような中途半端な存在は認められないからだ。

　そして三つめの世界は「凡ての上の冠として美しい女性」が領する世界である。これは、松山の坊っちゃんが触れ得なかった世界である。そしてそここそが、松山を脱した坊っちゃんを待ち受けていた世界であり、三四郎が生きねばならない世界であった。そこには、「良い乳房」でもなければ、「悪い乳房」でもない、あるいは「良い乳房」でもあれば同時に「悪い乳房」でもある女のいる世界である。

　『三四郎』とは、結局この善でもあれば悪でもあるような変幻する女・美禰子に三四郎が翻弄される様を描いた小説である。しかし、与次郎が三四郎に諭したように、美禰子のような女とつきあうには、三四郎は若すぎた。あるものが善でもあれば、悪でもある相対の世界に真に漱石作品の登場人物が参入するのは、漱石自身が語ったように、三四郎のそれからを描いた

『それから』を待たねばならない。

6 『それから』の不思議

『それから』は、代助が、かつては恋愛関係にありながらも、今は親友の平岡の妻となっている三千代と不倫関係に陥るまでを描いた小説である。この小説にはさまざまな疑問がある。たとえば、代助が「今日始めて自然の昔に帰るんだ」と意を決して三千代への愛情の告白する場面での「自然」が何を意味するかだ。

だが、ここで問題にしたいのは、なぜ恋愛関係にあった三千代を、平岡の要求に応じて、平岡に「周旋」したかである。その理由について、代助はこう語っている。

「その時の僕は、今の僕でなかった。君から話を聞いた時、僕の未来を犠牲にしても、君の望みを叶(かな)えるのが、友達の本分だと思った。それが悪かった。今位頭が熟していれば、まだ考え様があったのだが、惜しい事に若かったものだから、余りに自然を軽蔑し過ぎた。僕はあの時の事を思っては、非常な後悔の念に襲われている。自分の為ばかりじゃない。実際君の為に後悔している。僕が君に対して真に済まないと思うのは、今度の事件より寧(むし)ろあの時僕がなまじいに遣り遂げた義侠心だ。君、どうぞ勘弁してくれ。僕は此(この)通り自然に復讐を取られて、君の前に手を突いて詫(あや)まっている」

三年前、平岡から三千代を妻としたいという要求を聞いたとき、代助は、友情と義俠心から三千代を平岡に「周旋」すると決心したという。ということは、その段階では友情が、三千代への愛を上回っていたということだ。だが、平岡と三千代が結婚した後、それが反転したという。なぜそうなったのか。それについて代助は自然に復讐されたとしか言っていない。ならばなぜ自然は、復讐をしたのか。代助の言うように、自然の力を見くびった結果なのか。

それに触れる前にここで注意すべきは、この相談を代助に持ちかけ、その承諾を得たとき、平岡はこの代助の行為に夜も眠れぬ程感激したと言っていることだ。それは代助と三千代の関係を平岡は知っていたことを意味する。代助がどうでもいいと思っている女を平岡に「周旋」したとしても、平岡が夜も眠れぬ程感激するいわれはないはずだからだ。とすれば、この平岡の告白は、アブラハムにその子イサクを燔祭に捧げるように要求する『創世記』の神に似ている。信仰すなわち神をとるか、子をとるかという神の問いに似て、平岡は、友をとるか女をとるかの究極の問いを、代助に投げかけたのだ。代助は、アブラハムが神を選んだのと同様、友を取ろうとする。もちろん、『創世記』においては、イサクを燔祭に捧げようとするアブラハムの行動を最後に神は止めるのだが。ただ、ここで重要なのは、アブラハムにとって、神による、神か子か、という問いは、アブラハムの信仰心への試練になると同時に、また子イサクの価値をも証するものになっていることだ。つまり、子どもは神と類比できるほど価値のあるものであることをアブラハムに認識させることにもなる（同時に『創世記』を読む読者にも）。とすれば、平岡の問いもまた、代助に三千代の価値を認識させる効果があったはずだ。

作田啓一が、『こゝろ』での先生とKと御嬢さんの関係を、『欲望の現象学』でルネ・ジラールの展開した図式を当てはめて説明して以来、先生の行動に他者模倣の欲望を見出す読解がほぼ公準のようになっているが（作田［1981］）、『こゝろ』に先立つ『それから』で漱石が行ったのは、ジラールの図式を逆手に取りより複雑化した方法だ。ジラールの図式とは、ライバルないしはモデルとなる人物の欲望を模倣することで、人は欲望というものを習得するということだった。『こゝろ』では、Kが先生に、御嬢さんへの愛を告白することで、先生は、御嬢さん獲得のための行動を起こすことになった。つまり、友人Kの欲望に使嗾（しそう）され、先生は、御嬢さんの価値を知るということである。

ところが、『それから』で告白するのは、『こゝろ』同様友人の平岡の方だが、「僕は君の推察通り夫程三千代を愛して居なかったかも知れない」という平岡の言葉からも明らかなように、三千代を愛していたわけでなく、平岡は代助の姿を見て三千代への欲望を模倣しただけである。告白後、『こゝろ』では、先生はKを出し抜くのだが、『それから』では、平岡の要求通り、三千代を平岡に渡してしまう。この結末は、『こゝろ』の場合と逆なだけでなく、アブラハムの場合とも反対である。重要なのは、『創世記』において、イサクは救われるのだが、逆に実際燔祭に捧げていたなら、それは、救われた場合よりも衝撃的であるばかりでなく、イサクの価値もはるかにアブラハムにとって大きなものとして心に残ったであろうことだ。『こゝろ』では、Ｋを出し抜くことで、先生はＫへの罪障意識を終生持つこととなったが、他方妻となった御嬢さんへの思いは軽いものになっている。逆に『それから』では、平岡に渡したがために、三千代への思いはその後もずっと残り、代助を苦しめることとなる。三千代をあえて平岡と結婚させることで、三千代の価値は増大したことになる。

7　屏風と三千代

漱石は、この『それから』以降、『門』『こゝろ』と不倫関係に陥る者たちを描いていくが、『虞美人草』において、道義の重要性を説いた漱石が、一見反倫理的な、姦通すなわち不倫を描いたことの意味もこの三千代の価値の増大にそれを説く鍵がある。

ならば三千代の価値が増大するということは、何を意味しているのか。

『門』の中に興味深いエピソードが登場する。抱一の屏風を古道具屋に売ろうとした御米は、道具屋の六円という言い値に乗ろうかとも思うが、宗助の意向を聞いてからとその場での判断を保留する。するとその道具屋が宗助の家に再度足を運び、十五円で買うという。まだまだ高くなることを期待した宗助夫妻は、何度か断った後、三十五円で屏風を売る。興味深いのは、その後日譚である。宗助は、大家である坂井の家に行って、以前自分が古道具に売ったのと同じ屏風が坂井の家にあることを知り、その屏風の値段を聞く。すると坂井は「まあ掘出し物ですね。八十円で買いました」と答える。宗助は、坂井にその屛風がもともと自分の家にあったものであることを告げ、道具屋の悪辣さを罵って終わる。

このエピソードのどこが面白いか。それは、最初の屛風の所有者である宗助夫妻は、抱一の屛風の価値を知らないということだ。道具屋も宗助夫妻から買った値の倍以上の値段で坂井に売っているから、強欲な商人ということにされているようだが、しかし、八十円でも坂井は「掘出し物」だというのだから、相場よりもかなり安く抱一の屛風を手に入れたということだ。とすれば、一番得をしたのは、坂井であり、かつその屛風の価値を最もよく知っているのは、坂井ということになる。

この屛風の売買をめぐるエピソードは、三千代の問題と基本的に同じ原理が働いている。文化人類学者レヴィ＝ストロースは、未開社会において女性が交換財として機能することを『親族の基本構造』で明らかにしたが、三千代をめぐる代助と平岡との関係を屛風をめぐる交換過程と類比することは、女性を交換財という視点から捉えることで可能となる。

代助（ここでの代助を後の場合と区別するため代助1とする）と恋愛関係にあった三千代に平岡が欲望を持ち、平岡が三千代を妻とする、その三千代にまた代助（これを代助2とする）が接近するわけだが、代助1から平岡への三千代の移譲は、屛風の場合、宗助から道具屋への屛風の売却に対応する。次に代助2は平岡から三千代を奪おうとするのだが、それは、道具屋から坂井への屛風の売却に当たる。宗助－道具屋－坂井へと屛風が渡る過程で、屛風の価値は、0円

（屏風はもともと宗助の父の遺産として譲り受けたものである）から三十五円、最後に八十円と上昇していく。三千代の場合も、最初平岡から告白されたときは、三千代の価値は平岡への友情を上回るものではなかった。しかし、平岡の妻になってから、代助2は後悔の念に囚われ、姦通罪という罪を犯し、まさに自分の地位や未来を犠牲にしても手に入れねばならない存在へと三千代の価値は増大していく。実際、平岡の告白の後、代助2は父親や兄から義絶されるのだから、多大な犠牲を払ったことになる。屏風の売買の過程で、屏風の価値をもっとも高く評価し、その価値を知っていたのは坂井であった。三千代の場合でも、最も三千代を愛しているのは、つまりその価値を最も高く評価しているのは、代助2である（事実平岡は「三千代を愛して居なかったかも知れない」と告白している）。

三千代の場合も、屏風の場合もそれぞれの最後の所有者が、そのものの価値を最もよく知っている者であると同時に、それに対する代価をもっと多く払う者である。ただ、両者の場合異なるのは、代助は、得られたもの以上の代価を払っているだろうことだ。坂井の場合、八十円という、この交換過程では最も大きな支出をしているが、そもそも「掘出し物」なのだから、もっと高い値段で屏風を売り抜けることが可能だ。しかし代助の場合は違う。平岡からの手紙で代助の所行を知った兄が代助のところに来たとき、代助に「どんな女だって、貰おうと思えば、いくらでも貰えるじゃないか」と言っている。代助の兄誠吾の発言は、三千代が人妻であること、また彼女が心臓病で子どもを産めないことを問題視している発言と考えられる。家督相続という制度のあった戦前の日本において妻に求められたことは、まず跡継ぎを生むことであり、当時の考え方においては、子どもが産めない女は、妻として価値がないということを意味していた。

フェミニズムがある程度浸透した今日の日本においても、同様の発想から女性の価値を出産のみに求めるような発言をして謝罪に追い込まれる政治家が見受けられるが、明治期において、誠吾の発言は、当時の日本人の標準的な価値観を反映したものと考えられる。そんな兄から見れば、人妻であり子どもを産むことができない三千代は欲望の対象にはなり得ないということである。その代償として、代助は親兄弟からも見捨てられ、姦通罪という刑法上の罪で訴えられる可能性も出て来るのだから、失ったものはあまりにも大きい。しかも、そのような代償を払ったにもかかわらず、代助は当の三千代すら手に入れられない可能性が高い。三千代は重篤な心臓病に罹っているからだ。

『それから』の場合だけでなく、友人と自分と女という三角関係と友人への裏切りという等しい主題を持つ『門』や『こゝろ』の場合も、姦通あるいは友への裏切りの罪に対する罰、あるいは罪の意識は、過大といってもいいほど大きなものだ。『門』では、宗助夫妻は、社会的制裁を受け逼塞した生活を強いられるだけでなく、死産などで三度も子を持つ機会を失わねばならない。『こゝろ』の場合も先生は、最後に自死を遂げる。

姦通といった反=倫理的主題を持つ三作では、いずれもその当事者に過大な罰あるいは罪責感を付与するような設定になっている。文学に道義の必要を説いた漱石が、道義に反する行動をとった者たちを罰しようとしたということだろうか。

そういうことではない。ここには、単に姦通や不倫、裏切りという事態への道義的意識だけでなく、漱石の近代という時代への批判が現れているというべきだろう。

8 遅れて来る者と最後に来る者

『それから』や『門』などに漱石の時代批判があるとは、どういうことか。

先に『それから』の三千代のやりとりを、『門』での屏風の交換過程と類比したのは、姦通という行為が、商品の売買と同様の構成にあることを指摘したかったからだ。もっと言えば、それは、資本主義の問題に通じる点があるからだ。

一九世紀の思想家カール・マルクスは、『経済学批判』において、ジョン・スチュアート・ミルの父親ジェームズ・ミルが貨幣を介した交換を単なる物々交換と類同化できるとした視点を批判した。ミルは、貨幣を介した交換は、単に物々交換が二度連続して起きるだけで、そこに本質的差異はないとする。ミルは、商品と交換に貨幣を手に入れた者が、もう一度貨幣と交換に商品を手に入れるということで、W（商品）－G（貨幣）－W（商品）という流れは、W－Wに解消できると考えたのだ。

一方、マルクスは貨幣の存在そのものを問題視した。貨幣は他の商品と違い、交換価値しか有さない特異な商品である。交換価値しかなく、使用価値のない商品とは、その交換が閉ざされた場合、何ら意味のないものとなる。しかし、資本主義社会において、人々が目指すのは、まず貨幣である。人々が労働商品と引き替えに貨幣を手に入れようとするのは、自分の手に入れた貨幣を欲望するものが、この世にいることを前提としている。だから、人は貨幣の所持者になろうとするのだ。ミルが無視したのは、貨幣の所持者である。商品の流通に滞りがない限り、ミルのように、貨幣の所持者は無視可能な透明なものである。

しかし、マルクスが『資本論』で指摘した「だれも自分が売ったからといって、すぐに買わなければならないことはない」と考える者が登場したとき、つまり、恐慌時に現れるのは、この商品を売って貨幣を手にしても、商品を買おうとはしない貨幣の所持者である。物々交換と貨幣を介した交換の違いは、この貨幣を所持した人物が登場することである。それは、物々交換が閉じた関係になるのに対して、貨幣を介した交換では、原理的に交換はオープンエンドになることを意味する。物々交換では、ある者と別の者が相互に欲しい商品を交換すれば、交換はそこで終焉するが、貨幣が介在する限り、交換は終息することがない。というのも、貨幣とは、交換価値しかない商品である以上、それを退蔵することには意味がないからだ。つまり、それを使って商品を手に入れない限り無意味となる商品である。だから、人が貨幣を所持するのは、自分の次に必ず貨幣の所持を願望する人間が現れることを前提としている。もし、次に貨幣の所有を望む者が現れなかったら、貨幣は、マルクスやフロイトが言うように途端に糞便同様のものとなる。

資本主義が常に拡大再生産を宿命づけられるのは、この貨幣の問題がかかわっている。常に貨幣の所有を望む者を生み出すために、生産の拡大が必要となるのだ。

この拡大再生産を宿命とした社会とは、視点を変えれば、遅れてくる世代が前の世代よりもより豊かであることを意味する。それは、明治社会の原理であった立身出世主義にも対応する。立身出世主義とは、子は親を乗り越え出世し、孫はさらにそれよりも偉くなるということだからだ（マルクス［1990］）。

資本主義の拡大再生産にしろ立身出世主義にしろ、それは子による親の乗り越えを原則としたものであり、象徴的親殺しを意味している（フロイトが『トーテムとタブー』を書いた意図も、資本主義批判にあった）。

ここで想起したいのは、漱石が「文芸と道徳」で展開した議論である。漱石は、科学精神の浸透と交通（情報）手段の発達により、明治においては江戸時代のような道義性の確保が難しいと見ていた。近代社会とは、人々にそもそも倫理性を求めるのが困難な社会である。それは、先に言ったように、拡大再生産を宿命とする立身出世主義的・資本主義的社会は、象徴的親殺しを肯定する社会であるからだ。

漱石が、『門』における屏風の売買で描いたのは、資本の流れであり、より遅れて登場する者が、より大きな利得を手にするということだった。親より子、子より孫が豊かになる資本主義の社会、立身出世主義の原理を具体化してそのまま再現して見せたのだ。

そして、資本の流れを具体的に描いた屏風の売買と姦通の問題は同様の機制にあると指摘した。ただその違いは、代助にしろ宗助にしろ、あるいは先生にしろ、利得どころか罪に倍する罰を受けていることだった。そして、最も重要なことは、友から妻や女を奪った彼らは、その奪った女を誰かに渡そうとはしないということだ（『こゝろ』の場合、先生による私への奥さんの移譲があったという見方もある。だが私は、あの遺書で行われたのは、奥さんの移譲ではなく、その獲得の禁止であったと見ている。それは、フロイトが『トーテムとタブー』で展開した議論である、父殺しによる母の獲得の断念という事態が、『こゝろ』でも発生していたと考えるからだ。先生は、その自殺の原因を「私」の問いに帰している）。

拡大再生産を基調とする資本主義社会においては、後から来る者がより多くの利得を獲得する。よりよく遅れることが、より多くの利潤につながる。しかし、それは、常に貨幣を獲得した自分の次に貨幣を欲望する者がいることを前提とする。とすれば、人々の欲望にあるのは、実は最後に貨幣を獲得する者になることではなく、最後から一つ前の者になることだ。資本主義社会は、同時に最後に貨幣の所有者になることを最も恐れる者たちのいるところである。ぎりぎりまで遅く来ることが、成功の秘訣である。

だが代助たちは、そうではない。彼らは、友人たちより遅れて女の元に行くのだが、結局彼らは、獲得した女を誰かに移譲するのではないのだから、最後に来てしまった者である。むしろ、確信犯的に最後に来ていると見てよい。それは彼らには等しく子がないことからもわかる。三千代は心臓病で子が産めない体になっているし（そもそも代助の妻となる前に死ぬ可能性が高い）、宗助夫妻は三度も死産などで子を手にできないでいる。また『こゝろ』の先生にも理由ははっきりしないが子がない。

彼らは、等しく最後に来る者の立場にあえて留まろうとする者たちであった。最後に来る者とは、何か。親よりも多くの者を獲得しようとしない者である。それは、親を越えようとしない者である。どこまでも、子は親を越えることは不可能であるという姿勢を取ろうとする者である。

ここで、もう一度『坊っちゃん』の挿話に戻りたい。山嵐が生徒を扇動して坊っちゃんの追い出しを図ったと勘違いした坊っちゃんは、こんなことを述べている。

　ここへ来た時第一番に氷水を奢（おご）ったのは山嵐だ。そんな裏表のある奴から、氷水でも奢ってもらっちゃ、おれの顔に関わる。おれはたった一杯しか飲まなかったから一銭五厘しか払わしちゃない。然（しか）し一銭だろうが五厘だろうが、詐欺師の恩になっては、死ぬ迄（まで）心持ちがよくない。あした学校へ行ったら、壱銭五厘返して置こう。おれは清から三円借りて居る。其（その）三円は五年経った今日まで帰さない。返せないんじゃない、帰さないんだ。清は今に帰すだろうなどと、苟めにもおれの懐中をあてにはして居ない。おれも今に帰そうなどと他人がましい義理立てはしない積だ。こっちがこんな心配をすればする程清の心を疑ぐる様なもので、清の美しい心にけちを付けると同じ事になる。帰さないのは清を踏みつけるのじゃない、清をおれの片破れと思うからだ。

あるサービスを受ければそれに報酬を支払うのが約束である。恩を受けた場合も返礼するのが常識だ。だが、坊っちゃんは、清から借りた金をあえて返さないことが、清への信頼の証だという。

漱石の作品には金銭の授受をめぐる挿話が頻出するが、少なくともここで問題になっているのは、金の問題ではない。この三円に関する話は、『坊っちゃん』の冒頭にある。

是はずっと後の事であるが金を三円許り借してくれた事さえある。何も借せと云った訳ではない。向うで部屋へ持って来て御小遣がなくて御困りでしょう、御使いなさいと云って呉れたんだ。おれは無論入らないと云ったが、是非使えと云うから、借りて置いた。実は大変嬉しかった。其三円を蝦蟇口へ入れて、懐へ入れたなり便所へ行ったら、すぽりと後架の中へ落して仕舞った。仕方がないから、のそのそ出て来て実は是々だと清に話した所が、清は早速竹の棒を捜して来て、取って上げますと云った。しばらくすると井戸端でざあざあ音がするから、出て見たら竹の先へ蝦蟇口の紐を引き懸けたのを水で洗って居た。夫から口をあけて壱円札を改めたら茶色になって模様が消えかかって居た。清は火鉢で乾かして、是でいいでしょうと出した。一寸かいで見て臭いやと云ったら、それじゃ御出しなさい、取り換えて来てあげますからと、どこでどう誤魔化したか札の代りに銀貨を三円持って来た。此三円は何に使ったか忘れて仕舞った。今に帰すよと云ったぎり、帰さない。今となっては十倍にして帰してやりたくても帰せない。

これは、『坊っちゃん』の中でも最も心温まる挿話だと思うが、注意すべきは、三円が糞便まみれになることだ。マルクスもフロイトも貨幣を糞便に類比して捉えたが、漱石も、ここで金などとるにたらないものであることを見事に描いていた。坊っちゃんも「三円は何に使ったか忘れて仕舞っ」ているのだから。

三円の授受が問題なのではない。金がないと察するとお金を貸してくれるし、それが肥え溜めに落ちれば汚いのも厭わず取ってくれる（清はもうほとんどのび太にとってのドラえもんである）。それら全てが、坊っちゃんにとっては途方もない贈与である。坊っちゃんは、「帰せないんじゃない、帰さないんだ」と言うが、返さないのではなく、やはり返せないのだ。清の恩に対する返礼はそもそも不可能なのだ。

子がこの世に生を受けること、それは親からの最大の贈与である。もちろん、不幸にも親から虐待を受ける子もいる。だが多くの子は、親から愛情を注がれて成長する。それは、特別何かをされることではない。清のように、寒いときには蕎麦湯や鍋焼きうどんを食べさせるというようなちょっとしたことである。だがそれら些細なことが、子に、自分がこの世にあることは祝福されたことであると感受できる「基本的信頼」の形成を促す。だから、それはどうしても返済不可能なことなのだ。

子は親から返済不可能な何かを贈与される（そこには時に虐待という負の贈与も含まれる）。子は常に親よりも遅れてこの世に到達するものであり、その遅れはどうしようもない。立身出世することで、親より豊かに、偉くなることはできても、この遅れはどうしようもない。それはどんなに時代が変遷を遂げても変わらない関係の実質である。代助たち、最後に来る者は、この遅れて来る者の位置に留まろうとした。それは、子は親を越えられない、子は親から受けた贈与を返済できないということに自覚的であろうとしたということだ。もちろんそれは、彼らに過大な損失をもたらす。資本主義社会において、最後に来る者は、貨幣という糞便を掴まさせるものであるからだ。

もういちど述べておこう。資本主義は、遅れて来る者が、より多くを獲得する社会である。子による親の乗り越え、象徴的親殺しを常態化させた社会である。そのような社会では、『坊っちゃん』や『虞美人草』で描いたような善悪の単純な二分法は意味をなさず、道義の維持は困難である。だからこそ、漱石は、『虞美人草』以降、姦通という反社会的・道義に反する行動をする人物を登場させ、そのことで逆に明治という時代の本質を描き、同時に時代の変化によっても動かない関係の実質を描こうとしたのだ。

漱石は、『虞美人草』以降、善悪二分法の通じない相対の世界に足を踏み入れた。そこで描いたのは、友への裏切りであり、姦通という反=倫理的主題であった。それは、近代がそもそも道義を廃れさせる資本主義・立身出世主義という原動力により推移する社会であることを見抜いていたからである。だが、反=倫理的行動をとる代助たちを登場させつつ、彼らを、より大きな利得に与れる、よりよく遅れる者でなく、最後に来る者とすることで、時代が変遷し、道義が廃れようと変わらない関係の実質を、子は親を越えられないという関係の不可逆性を描いた。

この意味において、漱石は、終始倫理的作家であった。

結び

代助は、「自然の昔*」へ帰ろうとした。しかしそれは、坊っちゃんにとって、清はもはやいないように、不可能なことであった。そもそも、坊っちゃんのような人物は、わらうべきアナクロニズムである。

マルクスは「経済学批判への序説」において、「おとなは二度と子供にはなれない。なるとすれば、〔もうろくして〕子供じみるのである」と言っている（マルクス〔1990〕）。坊っちゃんのように振る舞うこと、坊っちゃんが清と暮らしたような時代に帰ることは、もはやわれわれにはできない。それは、滑稽なだけである。

だが、マルクスはこうも言っている。「しかし、子どもの無邪気さはおとなを喜ばせはしないだろうか？」「人類が最も美しく発育するその歴史的幼年期、なぜ、それは二度とは帰ってこない段階として、永遠の魅力をあたえてはならないのだろうか？」と。

清はもういない。『坊っちゃん』のような世界は「メルヘン」に過ぎない。しかし、坊っちゃんにとって清が、両親の与えてくれなかった基本的信頼をもたらしてくれたものとして、彼女が亡き後も彼に生きる勇気を与えているように、『坊っちゃん』の世界の無邪気さは、それが「メルヘン」に過ぎないとしても、読む者を喜ばせはしないだろうか。その意味において文学は「最も美しく発育する歴史的幼年期」ではないか。そのようなものとして、漱石が文学への基本的信頼を込めて描いた小説は、「永遠の魅力をあたえる」ものである。

漱石は、今も確かな輝きを放つ文学の幼年時代である。

＊ここでの「自然」が何を意味するかは、『それから』の大きな謎の一つであるが、小説中の別の箇所で「自然」と「意志」とを対比しているところから、作為を排して事の自然の成り行きにまかせるという意味ととるのが最も一般的な解釈だろう。この作為を排した自然の世界とは、『三四郎』における第一の世界に対応し、さらには『坊っ

ちゃん』における清＝「良い乳房」の支配する世界につながるものと考えられる。また、さらにその昔とは、三千代の兄菅沼の死ぬ以前の、菅沼を介して、代助と三千代の関係が最も良好かつ親密であった時期を意味するだろう。とすれば、そこで想起されるのは、『虞美人草』における糸子と一の宗近兄妹と甲野欽吾の関係である。そこで注意すべきは、宗近一が、甲野に糸子を妻とするように迫るが、甲野はそれを肯んじようとしなかったことである。本文でも引用したように、女は恋して結婚すると「変わる」と甲野は考えていたからだ。そして『虞美人草』に登場する女の中で糸子のみ漱石が批判的な視線を注いでいないのは、親友と親友の妹と自分という絶妙のトライアングルの中に糸子がいるからだと考えられる。甲野が糸子に「動くと変ります」と言ったのは、その関係から一歩でも進もうとするともはやその絶妙な関係は維持できなくなるからだ。とすれば、『それから』において菅沼兄が死んだ段階で菅沼、三千代、代助の理想的関係は破砕していたと見るべきではないか。したがって、「自然の昔に帰る」という代助の決意は、『三四郎』での第一の世界や『坊っちゃん』の清の世界がもはや存在せず、回帰不可能な場所であるように、そもそも実現不可能と考えられる。だからまた、「自然の昔に帰る」ため、三千代に愛の告白に来た代助に対し彼女が「あの時から、もう違っていらっしったんですもの」という発言は、代助がいかに否定しようと正鵠を射ているというべきだろう。

（本稿は『文學界』二〇〇三年一〇月号（文藝春秋）に掲載された「漱石と倫理」をもとに加筆・訂正したものである。）

第9章 漱石をめぐる対話

最後に、漱石に関する教師と学生の対話で本書を締めくくりたいと思います。最終章であるこの章を、これまでと大きく異なる対話形式にしたのは、いままで学んできたことを応用して議論を進めたいという趣旨によるものです。また、知識とは死蔵されるべきではなく、人と人とのコミュニケーションにおいて、実際に使用されることで意味を持つものだと考えているからです。なお、ここで触れる漱石の作品については、Ⅱ部冒頭（一四三〜五ページ）に梗概をつけています。

先生　さて、みなさんには私の漱石に関する論文を読んでいただきました。また、事前に漱石の三部作『三四郎』『それから』『門』そして『こゝろ』と『道草』も読んでいただいています。さらに小津安二郎の『麦秋』も見てもらっています。

これらを踏まえて、まず、『三四郎』の主人公である三四郎と美禰子との出会いの場面について一緒に考えてみましょう。ではまず、Jさん、この『三四郎』の概要を説明してもらえますか。

三四郎と美禰子の出会い

J　はい。『三四郎』は、九州の高校生（熊本第五高等学校）であった小川三四郎が、東京帝国大学に合格し、九州から汽車に乗って上京するシーンから始まります。列車の中で出会った女性と名古屋で一夜をともにするも何事もなかった三四郎は、その女性から「あなたは余っ程度胸のない方ですね」と言われ、ひどくショックを受けます。さらに名古屋から東京へ向かう列車の中で、後に広田先生とわかる人物から「囚われちゃ駄目だ」と言われ、自身の了見の狭さを思い知らされるという経験をします。

大学では、与次郎という友人ができ、また知人の従弟で、理科大学の助手をしている野々宮宗八や、その妹よし子、画家の原口といった人々と出会い、交友を拡げていきます。

なにより三四郎にとって重要なのは、里見美禰子との出会いです。大学キャンパス内にある心字池で美禰子に出会った三四郎は、広田先生の引っ越しの手伝いや、菊人形を野々宮や広田先生と見に行った折など、美禰子と二人きりで親しく言葉を交わすことを重ねるうちに、彼女に心を寄せて行きます。結婚を意識していた美禰子は、野々宮をその第一候補と考えていたようですが、野々宮は煮え切らず、別の男（よし子の縁談の相手）と結婚を決めてしまいます。三四郎は、彼が美禰子と初めて出会った心字池での姿をモチーフにした「森の女」と題された美禰子の絵を見ながら、美禰子から送られてきた葉書に記された言葉である「迷（ストレイ・シープ）羊」、迷（ストレイ・シープ）羊」を呟くばかりでした。

先生　Yさん、Jさんの要約に補足することはありますか。

Y　与次郎が広田先生を昇任させようと画策した事件などには触れられていませんが、三四郎と美禰子の関係が『三四郎』のメインテーマと考えた場合、それでよいのではないでしょうか。

先生　わかりました。では、その三四郎と美禰子の関係に注目してみましょう。まず大事なのは、次に紹介する心字池での三四郎と美禰子の出会いの場面です。

不図（ふと）眼を上げると、左手の岡の上に女が二人立っている。女のすぐ下が池で、池の向う側が高い崖の木立で、其後（そのご）が派手な赤煉瓦のゴシック風の建築である。そうして落ちかかった日が、凡（すべ）ての向うから横に光を透してくる。女は此（この）夕日に向いて立っていた。三四郎のしゃがんでいる低い陰から見ると岡の上は大変明るい。女の一人はまぼしいと見えて、団扇（うちわ）を額のところに翳（かざ）している。顔はよく分からない。けれども着物の色、帯の色は鮮かに分かった。白い足袋の色も眼についた。鼻緒の色はとにかく草履を穿（は）いている事も分かった。もう一人は真白である。是（これ）は団扇も何も持って居ない。只（ただ）額に少し皺を寄せて、対岸から生い被さりそうに、高く池の面（おもて）に枝を伸した古木の奥を眺めていた。団扇を持った女は少し前へ出ている。白い方は一歩土堤（ひとあしどて）の縁から退がっている。三四郎が見ると、二人の姿が筋違（すじかい）に見える。

（中略）

三四郎は又見惚（みと）れていた。すると白い方が動き出した。用事のある様な動き方ではなかった。自分の足が何時（いつ）の間にか動いたという風であった。見ると団扇を持った女も何時のまにか又動いている。二人は申し合せた様に用のない歩き方をして、坂を下りて来る。三四郎は矢っ張（やっぱ）り見ていた。

坂の下に石橋がある。渡らなければ真直に理科大学の方へ出る。渡れば水際を伝って此方（こっち）へ来る。二人は石橋を渡った。

団扇はもう翳（かざ）していない。左りの手に白い小さな花を持って、それを嗅ぎながら来る。嗅ぎながら、鼻の下に宛てがった花を見ながら、歩くので、眼は伏せている。それで三四郎から一間許（いっけんばかり）の所へ来てひょいと留った。

「是は何でしょう」と云って、仰向（あおむ）いた。頭の上には大きな椎（しい）の木が、日の目の洩らない程厚い葉を茂らして、丸い形に、水際まで張り出していた。

「是は椎」と看護婦が云った。丸（まる）で子供に物を教える様であった。

「そう。実は生（な）っていないの」と云いながら、仰向いた顔を元へ戻す、其（その）拍子に三四郎を一目見た。三四郎は慥（たし）かに女の黒目の動く刹那を意識した。其時（そのとき）色彩の感じは悉（ことごと）く消えて、なんとも云えぬ或物に出逢った。其或物は汽車の女に「あなたは度胸のない方ですね」と云われた時の感じと何所か似通っている。三四郎は恐ろしくなった。
二人の女は三四郎の前を通り過ぎる。若い方が今迄嗅いで居た白い花を三四郎の前へ落として行つた。三四郎は二人の後姿を凝と見詰めて居た。看護婦は先へ行く。若い方が後から行く。華やかな色の中に、白い薄を染抜いた帯が見える。頭にも真白な薔薇を一つ挿している。其薔薇が椎の木蔭の下の、黒い髪の中で際立って光っていた。（中略）
三四郎は女の落として行った花を拾った。そうして嗅いで見た。けれども別段の香もなかった。三四郎は此花を池の中へ投げ込んだ。花は浮いている。すると突然向うで自分の名を呼んだものがある。
三四郎は花から眼を放した。見ると野々宮君が石橋の向うに長く立っている。

先生　この場面について、何か疑問はありませんか。

J　やはり、美禰子が三四郎の目の前に白い花を落とす場面がちょっとわからないです。

先生　どういう点が？

J　美禰子は、三四郎の気を引こうと白い花を落としたのではないかと思いますが、どうして初対面の三四郎にそんなことをしたのでしょう。

Y　それは三四郎がイケメンだったからじゃないかな。

先生　どうしてそう言えるの？

Y　名古屋の女の件があったからです。つまり、三四郎は、列車の席でたまたま傍にいた女性から、一夜限りの関係を持ちかけられます。三四郎は、初心でそれに気づかなかったわけですが、そう女に思わせたのは、たぶん九州男児の三四郎は、目鼻立ちがきりっとした吉沢亮みたいなイケメンだったからじゃないかな。

J　三四郎は色黒だっていう描写もあるから、吉沢亮というよりも、髙良健吾みたいな感じじゃない？　九州男児だし。

先生　吉沢亮似か髙良健吾似かはおいといて、三四郎がイケメンだという指摘は研究者からもなされています。Yさんの言ったように、三四郎が列車の女に誘われたのも、三四郎がやはり魅力的な男性であったからだと考えるのが妥当でしょう。でも、だから美禰子も三四郎を誘惑しようとしたというのはどうでしょう。

J　そうなんです。汽車で出会った女は既婚者だし、三四郎がイケメンだからといって、美禰子が初対面の男性を誘惑するとは言えないのではないか。美禰子は、三四郎との会話で聖書を引用したりしてかなり教養がある女性なのに、どうしてそんな大胆な行動をとったのか。三四郎が「矛盾」だと言うのも、お嬢様然とした美禰子が、美禰子とはかなり育ちが違う汽車の女と同じようなことをしたからではないかな。

Y　お嬢様風なのに、汽車の女のように性的大胆さを見せたから「矛盾」を感じたということね。

先生　たしかに美禰子の行動は、その前の看護師を従えて、これは何、とか聞いている振る舞いは、いかにも召使いに傅かれて育てられた感じがして、お嬢様風ですね。ならば、三四郎がイケメンだという理由以外に、三四郎を誘惑するような素振りを見せたことを合理的に説明する視点はないでしょうか。

Y　それに、美禰子は、野々宮との結婚を考えていたはずなのに、どうして初対面の男を誘惑するようなことをしたのかな。

先生　そう。そこがポイントです。

野々宮はどこにいた?

J　野々宮はここにいないのに、どうしてそこがポイントなんですか。

先生　ここは誰の視点で、誰に焦点化されて描写されているでしょう（I部第3章を参照のこと）。

Y　三四郎です。三四郎に内的焦点化されています。

先生　そう。では、Jさん、三四郎に内的焦点化されると、三四郎の心理描写は可能になりますが、また限界も生まれますね。どんな限界ができますか。

J　はい、ここで登場する美禰子の内面は、知ることができません。

先生　その通りですが、他者の内面だけでなく、他にも知り得ないことが生まれませんか。

Y　他者の内面以外に知り得ないもの？

先生　では、少しヒントを出します。図2は重松泰雄という研究者の論文を参考に描いた地図です。この地図に記されたAからDまでの記号は、この場面に登場する人物のいた位置を示しています（重松［1979］）。

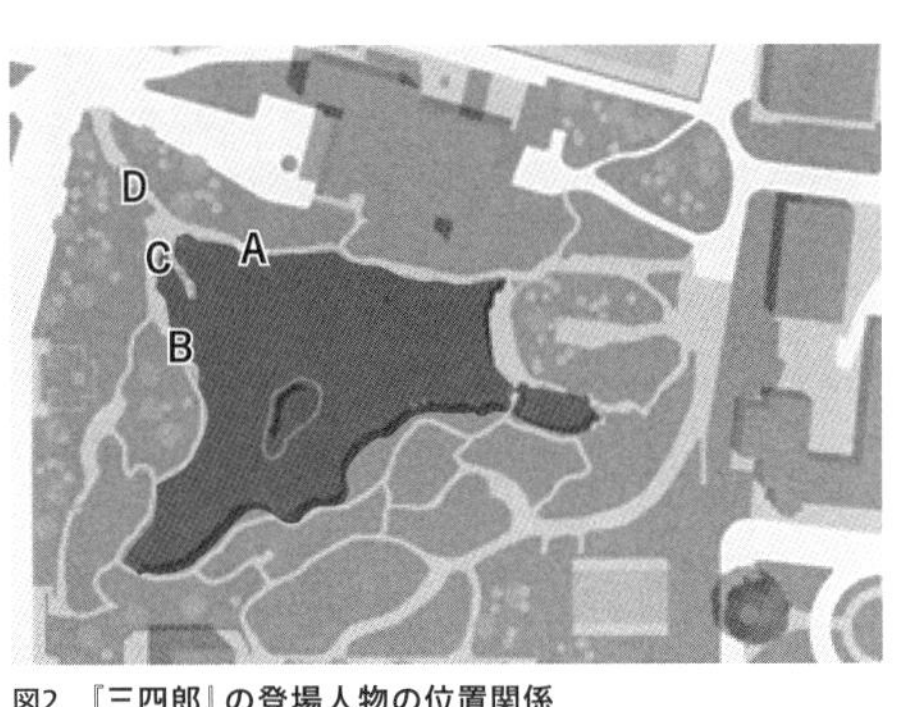

図2　『三四郎』の登場人物の位置関係

　Aが最初に美禰子と看護師がいた場所です。そこからCまで美禰子たちは移動します。Bは三四郎がいた場所です。問題はDですが、まずこの場面に登場する人物の位置を確認しましょう。Bの三四郎は池のほとりにいて、比較的低いところにいる。対してAにいる美禰子は同じく池のほとりにいますが、小高い岡にいます。どっちが見晴らしがいい？

J　そりゃ、岡に立つ美禰子です。

先生　とすると、美禰子の位置からは三四郎はもちろん見えたわけですが、他にも三四郎のところからは見えなくても美禰子からは見えたものがあったと考えられますね。さて、Dには誰がいたのか。

Y　Dにいたのは、野々宮さんだ。美禰子が去った後、すぐに野々宮さんが三四郎のところにやってきます。美禰子には、Dにいた野々宮さんの姿も見えていたのでは？

先生　とすると？

J　そうか。美禰子は、心字池にやってくる野々宮さんの姿が目に入って、それでゆっくり移動を開始したんだ。そしてDにいる野々宮さんが心字池のほとりにくる時間を見計らい、看護師にどうでもいいような質問をして、ちょうどいい具合に三四郎の前に来るようにした。

Y　それで野々宮さんが、三四郎と自分の姿を捉えられる所に来たときを狙って、三四郎の前で白い花を落とした。

先生　ご明解。つまり美禰子は、三四郎を誘惑するためではなく、三四郎の目の前で花を落とし、それを見せつけることで、野々宮さんに嫉妬させようとしたというわけです。重松氏は、三四郎のところに美禰子が来る前に、野々宮さんとDの場所で会っていたのはでないかと推測しています。

Y　どちらにしろ、三四郎はダシに使われたということですね。可哀想な三四郎君。ちょっと同情します。

J　「可哀想だた惚れたって事よ」と、漱石は与次郎に言わせていますよ。

Y　いいじゃない、私面食いだし。

先生　でもね、ここでは三四郎はいい面の皮という感じですが、単純にそうとも言えないのではないでしょうか。

美禰子は三四郎をどう思ったのか

Y 美禰子も三四郎が好きだということ?

先生 そこは微妙で、フェミニストのなかには、美禰子みたいな賢い女性が、初心で田舎者の三四郎なんか相手にするはずがない、なんて言う人もいますが、私はそうとも言いきれないのではと思っています。少なくとも、この場面では、美禰子が三四郎に一目惚れしたということはないでしょう。

J ぼくも、美禰子の心には微妙な揺らぎがあったのではないかと感じました。

先生 Jさんは、どこで美禰子の心が揺らいでいると思った?

J 菊人形を、広田先生や野々宮さんたちと見に行った際、三四郎と美禰子だけはぐれてしまいます。その二人きりになったときの会話の場面。それとその後、美禰子が三四郎に「迷羊(ストレイ・シープ)」と呟き、同じ言葉を三四郎宛の絵葉書に書いてきたあたりで、やはり美禰子も多少は三四郎のことを憎からず思っていたのではないか。

先生 なぜ、絵葉書が重要なの? その前にも美禰子は三四郎に手紙を送っているでしょう。

J はい。美禰子の最初の、菊人形を見に行く誘いの手紙は、野々宮たちも来るので、それは心字池での美禰子の振る舞いの延長線上にある手紙ともとれます。つまり、わざと野々宮の前で三四郎と仲良くして嫉妬させようとした。

しかし、野々宮たちと別れてしまった後では、野々宮の視線を気にする必要がないので、美禰子は、ニュートラルな状態で三四郎に接することができるはずです。そこで、三四郎にかまをかける言葉を呟くことは、いたずら心としても、多少は美禰子にも三四郎を憎からず思う気持ちがあるからではないでしょうか。

先生　なるほど。すると、菊人形観覧のときに美禰子の心に変化が生まれたということでしょうか。でも、それにしては川縁での美禰子と三四郎の会話は平板で、美禰子の心を動かすようなものはなかったのでは？

Y　私、思うんですけど、その前に美禰子の心が動く機会があったのではないでしょうか。

先生　具体的にはどこですか。

Y　広田先生の家の引っ越しに三四郎たちが手伝いに狩りだされて、三四郎と美禰子が二人きりになる場面がありますよね。そこではないでしょうか。

先生　なるほど。そこでどんなことが起きましたか。

Y　ふたりはそこで初めて双方の素性を明かします。三四郎は美禰子に「あなたには御目に掛かりましたな」と問いかけます。美禰子は「いつか病院で」と答えると、三四郎は「まだある」と言い、それに対して美禰子は「池の端で」と答えます。ちゃんと白い花を三四郎の目の前に落としたときのことを覚えている。それで誰もこないから、先に掃除をしましょうと二人で掃除を始める。その結果、「一通り済んだ時は二人共大分親しくなった」と記されています。

先生　そこで二人は親密な関係になったということですか。

J　掃除を一緒にしただけでそんなに親しくなるかな。

先生　たしかにそうですね。それだけではちょっと弱いのでは？

吊り橋理論と二人の関係

先生　ここはたしかに二人の関係を考える際に重要だと思うのですが、一緒に掃除をしただけでは充分ではなくて、その後にちょっとした事件が起きます。

Y　わかった。美禰子が二階に上って、暗いからよく見えないと三四郎を呼ぶ。それに応じて三四郎が階段を上った結果、三四郎と美禰子の顔が「一尺ばかりの距離に来た」とあります。

先生　そこが重要ですね。一尺は三〇センチくらいですから、ほぼ初対面の男女にしてはかなり近い距離です。

Y　ドキドキしますね。

先生　そう。このドキドキが大事。

Y　それで恋に落ちたということですか。

先生　とまでは言えないかもしれないけど、「吊り橋理論」というものを知っていますか。

J　吊り橋の真ん中でアンケートした場合と、吊り橋の手前でアンケートした場合では、結果が違うというやつですね。

ある心理学の教室で錯覚について研究するため、「美人」実験者が、吊り橋の手前か吊り橋を渡り終えて一〇分以上経過した後と、吊り橋の真ん中でそこを通りかかった男性に声をかけてアンケートを行う。そしてアンケート終了後、その実験者が回答者に連絡先を記した名刺を渡し、実験結果について知りたければ連絡をくださいと伝えます。

この実験の本当の目的は、吊り橋の手前や渡り終えた場所でアンケートに答えた人と、吊り橋の真ん中でアンケートに答えた人とで、実験者に連絡してくる数に違いがあるかを確かめることです。その結果は、吊り橋の真ん中でアンケートに答えた人が、有意に多かった。

なぜ、吊り橋の真ん中でアンケートに答えた人の方がより多く、実験者に連絡を入れたのか。それは、吊り橋の真ん中でアンケートに答えた人の方が、彼女に好意を持ったからです。では、吊り橋の真ん中でアンケートに答えた人は、なぜ彼女に好意を持ったのか。普通、人は断崖絶壁に懸けられた吊り橋の真ん中に立つと、恐怖心から心拍数が上がります。また、人は素敵な人が目の前にいるとドキドキして心拍数が上がる。吊り橋の真ん中でアンケートに答えた人は恐怖心からドキドキしたのに、それを女性への好意の表れだと脳が判断して女性実験者に連絡した、ということです（下條［1996］）。

先生　どうもありがとう。この吊り橋理論を三四郎と美禰子の場面に当てはめると、どうなりますか。

Y　そうか。暗い場所で三〇センチくらいの至近距離で顔を寄せ合ったことにより、二人はドキドキする。暗いところでのドキドキを、恋愛感情の芽生えと思ってもおかしくない。

先生　暗い階段というところがポイントですね。先がよく見えない階段という、不安定な場所に立っているから、両者とも心拍数があがる。同時に互いの顔が三〇センチの近距離にあるからドキドキする。脳は階段のせいでドキドキしているのか、好きな人の側にいるからドキドキするのかわからず、そばにいる人に起因すると考える。

J　そうした心理的機制が働いたとすると、美禰子もこの場面を通じて、三四郎を心憎からず思うようになったと考えられる、ということですね。

先生　その通り。さらに漱石はこの後の場面で、雨戸を開けようとして二階に上がった三四郎の手が美禰子の手に触れようとした瞬間、三四郎をバケツにつまずかせて、触れそこねさせています。恋愛ドラマのようなややあざとい場面ですが、むしろこうした三四郎の場面をまねて現代の恋愛ドラマができたといってもいいかもしれません。

J　でも結局、美禰子は、野々宮さんの妹よし子と縁談があった、まったく別の男性と結婚してしまいます。三四郎はふられちゃうわけですね。

先生　それはなぜだと思いますか。

Y　美禰子は三四郎池の場面でも、野々宮さんねらいだったわけですよね。

先生　その野々宮さんが結婚する気がなさそうなので、別の男と結婚した。

Y　なぜ、そんなに結婚を急ぐ必要があったのでしょうか。

先生　それは、美禰子のお兄さんの結婚が決まっていたからだとされます。

J　どうして自分の兄が結婚すると、美禰子自身も結婚を急がねばならないのでしょうか。

先生　美禰子の両親は亡くなっていて、彼女はお兄さんと暮らしている。当時の考え方としては、その兄が結婚すれば、彼女は小姑として兄夫婦と同居するか、あるいは一人暮らしをするかのどちらかです。小姑になることは、プライドの高い美禰子には受け容れ難い。といっても、一人暮らしをするとなるとその費用をどうするか。貯金を切り崩しつつ生活するか、働くか。お嬢さん育ちの美禰子が働くことはやはり彼女の気位からすると容易でない。となると、結婚して兄の家から早く出て行くしかない、ということです。

Y　三四郎はまだ大学生になったばかりだから、美禰子の花婿候補としては、最初から無理がある。どんなに心ときめいても、結婚できない相手にかまっている余裕など美禰子にはないということになりますね。

J　三四郎の完全な独り相撲ということですか。

先生　そこはどうでしょう。結婚は無理だとしても、青春の一ページとなる思い出作りくらいはしようかという気は美禰子にもあったのでは、と私は考えていますが。

このように同じ一つのテクストに皆で視線を注ぐことこそ、読むことの醍醐味だとは思いませんか。

同じ方向を見るということ――小津安二郎『麦秋』

Y 授業中、まわりが集中して講義を聴いているときに、ふと、あ、みんな先生の方を見てるとかスクリーンを見てるとか思って、同じ授業を受けているんだなぁって、ほんわかした気分になることがあります。

J そう、同じものを見てるんだと思うと、ちょっと不思議な気分になることは僕にもある。

先生 なるほど。お二人が感じたことは、実はとても大切なことなんです。漱石のテクストからは少し離れますが、このようにテクストにしろ絵画にしろ、あるいは風景にしろ、同じものを見るということは、きわめて人間的な振る舞いであり、かつ人間にしかできないことなのです。

Y どういうことでしょうか。

先生 そこで、今日までに見ておいて下さいといった、小津安二郎監督の映画『麦秋』について考えてみましょう。今度はYさん、『麦秋』の内容を紹介してくれますか？

Y 『麦秋』は、『晩春』（一九四九年）と『東京物語』（一九五三年）と並び、原節子が紀子の名で主演したいわゆる紀子三部作の一つであり、一九五一年に公開された作品です。

映画の舞台は鎌倉にある間宮家。間宮家は、両親と勤務医の兄とその妻と二人の子、そして東京で働く原節子演じる紀子の七人で暮らしています。そこに父の兄が奈良から上京してくるところから映画は始まります。二八歳になっても未婚の紀子のことを両親や兄は心配していて、会社の上司から縁談が持ち込まれます。よい話だと兄たちは乗り気ですが、紀子はそれを断ってしまう。

そして紀子は、戦死した次男・省二の同級生で、兄の部下である矢部との結婚を決意します。矢部には死んだ妻との間に子どもがいて、秋田の病院への転勤も決まっている。兄に兄嫁、そして両親も、当初は紀子の結婚を心配します。しかし紀子の決意を知ってその結婚を認め、紀子の結婚を機に両親は奈良の故郷で隠居暮らしすることを決め、家族は離れ離れになるという話です。

先生　どうもありがとう。要を得たまとめだと思います。
ところで、淡々と進むこの映画のクライマックスは、紀子が矢部との結婚を決意するシーンです。紀子が矢部との結婚の決意を表明するのは、矢部本人がいないところです。杉村春子演じる矢部の母親は、息子の秋田への転勤が決まり、一人その準備に忙しいのですが、そこに紀子が訪ねてくる。紀子に対して、矢部の母親は、「怒らないでね」と前置きをしてから、「本当は、私は息子の嫁には紀子さんがいいと思っていたの」と叶わなかった夢として語る。それに対し、紀子は唐突に「私でよかったら」と告げます。

Y　結婚する当人がいないところで、そんな重大な話が決まっていいのかな。

先生　そうですね。それ以上に不明瞭なのは、紀子は一体いつ、矢部との結婚を決意したのかということです。なぜ紀子は矢部と結婚する気になったのでしょうか。

Y　映画の中で紀子は、四〇過ぎて結婚していない人は信用できないと言っていました。

先生　たしかにそういうことを言っていますが、それは専務の勧めた縁談を断る理由であって、矢部と結婚を決意する理由ではない。なぜ、矢部なのでしょう。

J　映画に描かれる矢部と紀子の関係は、まず東京への通勤電車を待つ北鎌倉駅のホームでの会話シーン、続いて、紀子がショートケーキを買って帰り、兄嫁と二人で食べようとしているところに矢部がふらりと間宮家を訪れ、ご相伴にあずかるという場面です。両場面とも矢部の飾らぬ実直な人柄が現れていて、紀子はそうした矢部に親しみを感じているように描かれていますが、結婚を決意するほどの強い思いを持っているようには見えませんでした。

先生　他に紀子と矢部の話すシーンはありませんでしたか。

J　紀子の矢部への思いが決定的になるのは、ニコライ堂の見える御茶ノ水の喫茶店のシーンだと思います。

先生　そう、そこで何が起きますか。

J　矢部の秋田への転勤が決まり、その送別会を、矢部の上司でもある紀子の兄・康一と紀子の三人で開くことになります。紀子と矢部は、康一をその喫茶店で待っている。矢部は、この喫茶店が学生時代に紀子の死んだ兄である省二としばしば訪れた場所だと告げる。さらに彼は、省二が出征先から手紙をよこし、そこには麦の穂が入っていたと言う。そこでこの映画の題名でもある麦への言及があり、このシーンが重要な場面であることが暗示されます。

そして、矢部は、自分たちが今座っている席の奥の壁に掛けられた絵を二人でよく見ていたと言って、紀子と矢部はその絵に目を向ける（図3）。このときの紀子の顔つきは、矢部を、これまでの友人の一人を見るものから特別な人として見るものに変化したように思いました。

先生　では、なぜそこが重要なのでしょう？

図3　映画『麦秋』（小津安二郎監督、1951年）

J　亡き兄への思いを矢部と共有できると思ったからでしょうか。

小津安二郎と死者への思い

先生　戦死した兄・省二の思い出を語ったことが転機になっていることは確かです。しかしなぜ、死んだ兄の思い出を語ることが重要なのでしょうか。

そこには、小津監督自身の経験も反映されていると思われます。小津は徴兵されて、中国戦線で兵士として従軍していますが、彼はそこで中国軍との戦闘に参加し、自分の横で同僚の兵士が敵の銃弾に当たって死ぬという経験をしています。また、自身がその才能を認めた年少の監督・山中貞雄を、同じく中国戦線において、赤痢で亡くしています。

この映画が公開された一九五一年は敗戦から六年目で、日本中に空襲の痕が色濃く残り、戦地や旧植民地などから帰還を果たしていない日本人がまだいた時期です。戦争の記憶というには生々しすぎるくらいの戦争の爪痕が日本中、そして日本人の心に深く刻まれていました。だから、紀子が死んだ兄の思い出を共有できる矢部に愛情を感じることには、無念の思いを抱えて死んで行った者たちへの小津の思いが表れていると見ることもできます。

しかし、そうした時代背景を抜きにしても、死んだ兄が見ていた絵に紀子と矢部が視線を注ぐこの場面には、いまなお私たちの心を揺さぶるものがあります。

共視体験と人間

先生 人と人がいかにして結びつきを持つに至るか、日本語の「人間」という表記に示されているように、人と人のあいだにある者、人と人との関係性を軸に、人は人間になるのですが、その根源には「共視体験」があるとされます。愛する者と同じものを見つめることを通じて、その愛情を深めていく人間のあり方。『麦秋』における紀子と矢部が紀子の死んだ兄の見ていた絵画を見つめる場面は、人の愛情の源泉にある共視体験を再現している点で感動的なのです。

Y 共視体験って何ですか。

先生 たとえば、人とチンパンジーは霊長類に属しており、DNAレベルでは一・二％しか違わないとされます。実際、人間の赤ちゃんとチンパンジーの赤ちゃんはよく似ていて、生後間もない人間の赤ちゃんとチンパンジーの赤ちゃんの姿勢や運動機能にはかなり類似性がみられることを、発達心理学者の中村徳子も指摘しています（中村［2004］）。

しかし、そうした生物学的類似性以上に、両者の近縁性を感じさせることは、「『見つめ合う』といった愛情の表現なのだ」とします。なぜなら、「ヒトとチンパンジーといった大型類人猿（中略）だけが、赤ちゃんをだっこして、しかも目と目を見つめ合いながらおっぱいを与えることができる」から。母親が子を見つめながら授乳する姿は、愛によって結ばれた母子のつながりを象徴する場面ですが、そうした光景はチンパンジーにおいても見られるというのです。

母子に限らず、愛する者同士は、互いに見つめ合うことでその愛情を確認するものです。この見つめ合いは、チンパンジーにおいても、人間に見られる情愛の存在を感じさせる出来事なのです。

Y　通常、動物では相手の顔を正面から見ることは威嚇行動になりませんか。

J　そうそう。犬嫌いの僕は、よく散歩している犬に睨まれて怖い思いをしています。

先生　人間でも相手と目を合わせると、「ガンをつける」とかいって、喧嘩の原因になったりしますね。でも人間とチンパンジーにおいては見つめることが愛情表現にもなる。

しかし、人間の赤ちゃんとチンパンジーの赤ちゃんとの差異は、成長するにつれて顕著になっていきます。親などの、子の面倒を見る者との関係性において、その違いは明らかになります。その最たるものは、生後一〇か月あまりの人間の赤ちゃんが行う指さし行動です。チンパンジーの赤ちゃんにも指さし行動は見られますが、人間の場合のように遠くのものに指を向けることはありません。チンパンジーの場合は、ボタンを押すように、指と対象がじかに接している場合にしか指さしは発生しないのです。一方、人間の場合、離れた対象にも指さしは行われます。

人間の赤ちゃんに指さし行動が現れる生後一〇か月くらいの時期に、赤ちゃんは母親の視線を追うようになります。自身に注がれていた母親の視線が自分から離れ、外部の何かへと差し向けられたとき、赤ちゃんは母のその視線を追って母親と同じものを見ようとします。そして人間の赤ちゃんの指さし行動は、自分が外部に見出したものを母親に見てもらうために、母親の視線を誘うものであるのです。

自分の側にいる者と同じものを見よう、あるいは相手にも同じものを見てもらおうとする行動を「共視（ジョイント・アテンション）」と言います。チンパンジーの場合、かなりの訓練を経ないとできません。この共視はさらに、赤ちゃんが自身が関心を持ったものを母親に手渡ししたりする行動に連なっていきますが、これはものを介した関係性の発生です。人間の場合、同じものを見たりもののやりとりをすることを通して、チンパンジーにはない広がりと深みをもつようになるのです。

忘れてならないことは、この時期は、それまで言語としては意味をなさない喃語を話していた赤ちゃんが、徐々に意味ある言葉を口にしはじめる時期でもあることです。人間における言語の発達は、共視、そしてものを介した関係の延長線上で発生したと考えることもできます。

ヒトもチンパンジーも、愛する者同士はその視線を交差させることで愛情を確認していました。しかし人間は、愛する者に向けられた視線を逸らし、外部へと視線を差し向けて行く。そのとき、もう一方の者は、自身から視線が離れていくことを惜しむどころか、むしろ逸らされた視線の先にあるものを見ようとする。そして同じものに視線を向けることに喜びを感じるのです。

Y　『麦秋』の紀子と矢部の視線が亡き兄の見ていた絵画に注がれる場面が感動的なのは、そのためですね。

先生　あの場面は、母と子が見つめ合っていた視線を逸らし、外部へとそれを差し向け、そこに新たな愛着の対象を見出す場面の再現とも言える。

紀子が、矢部との結婚を決断したのも、かつて矢部は自分の愛した兄が見つめていた絵画を一緒に見つめていたからです。自分が愛した兄と矢部は同じものを見つめることができたのだから、自分も矢部と同じものを見ることに喜びを見出しうると確信できたのです。

人間の目、動物の目

J　ではなぜ、人間には共視ができて、チンパンジーにはできないのでしょうか。

先生　ちょっと写真をお見せします（図4）。これは五種類の哺乳動物の瞳です。何の瞳かわかりますか。

Y　上から順に、犬、猫、人間、その次がキリン。最後は、なんだろう……ゴリラかな。

先生　惜しい。最後だけ違います。

J　チンパンジー？

先生　正解。では、人間と他の四つの哺乳動物の目の違いはわかりますか。

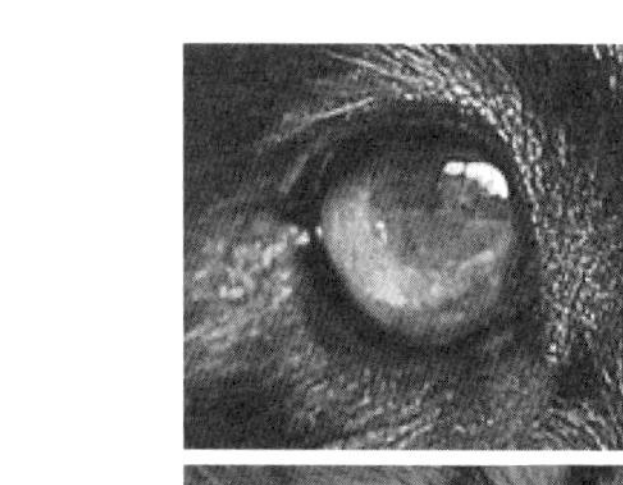
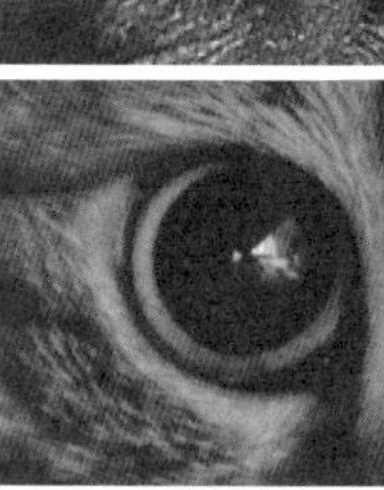
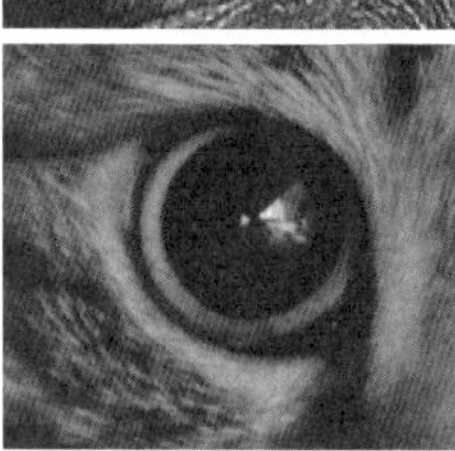
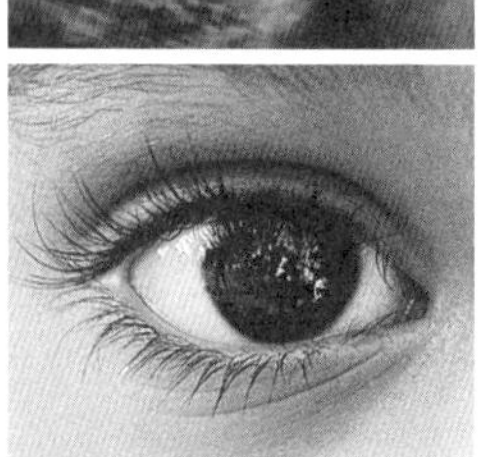
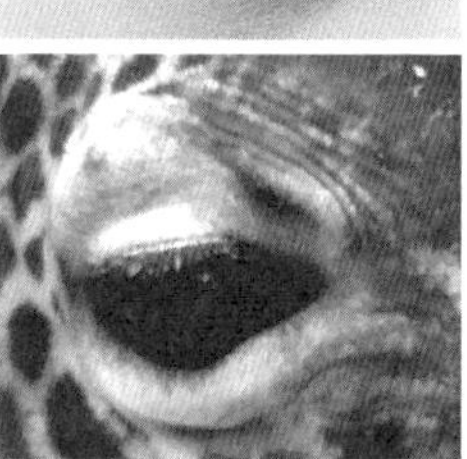
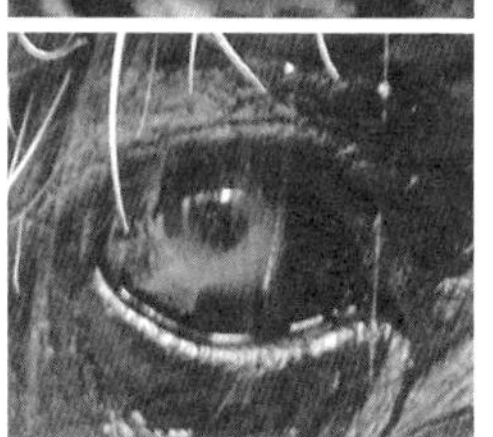

図4　動物の目

Y　白目がないことです。

先生　その通り。なぜ、人間だけ白目があるのでしょうか？

J　チンパンジーと人間の祖先は同じだから、きっとある時期に人間だけ白目のある突然変異の個体が生まれ、白目を持った人類が、白目を持たない人類よりもなんらかの理由で有利になり、白目のない人類が淘汰され、白目のある人類だけが生き残ったから。

先生　では、なぜ白目を持った人類が適者生存したのでしょうか。

Y　白目があると、相手に視線を読まれて次の行動が推測されてしまう。草原でライオンに遭遇した人が逃げ道を探せば、白眼のためにすぐにどこに逃げようとするかライオンに読まれてしまう。なので、白眼を持つことは自然界では不利なのかもしれない。

先生　なるほど。では、なぜそんな不利な白目を持った人間が生存してしまったのでしょう。

J　それ以上の利益が白目を持つことにあったからでしょうか。

先生　どんな？

J　それは……白目があるから人が何を見ているかわかる。だから人間には、共視が可能で、白目のないチンパンジーには、共視ができない。

Y　共視を通じて、ものを介した関係性が発生する。同じものを見ること、そしてもののやりとりを通じて、ヒトとヒトはコミュニケーションを深めていく。自然界では相手に行動の意図を読まれてしまう不利な白目が、人間が集団を形成し、コミュニケーションを図るという点で逆に有利に働いた。だから白目をもったわれわれの先祖が生き残ったという見方もできますね。

先生　同じものを見つめるという体験を基盤にして、人間が長い年月をかけて、人間の共有財産である文化を作り上げてきたのです。『麦秋』の紀子が絵画を見つめる場面が私たちに多くの感動を与えるのもそのためです。そして、今われわれが同じテクストに向かい、あれこれ考えを述べあっているのも、長い人類の進化の一つの到達点とも言えます。

J　なんだか壮大な話ですね。

先生　私たちはやはり、歴史というものを意識することがとても大切です。私たちの何気ないごく日常的な素振りや行動が、私たちの祖先が営々と積み上げてきたことの帰結としてあるということを認識しておくと、それをまた次の世代につなげていけるからです。

一方で、同じものを見ることが、必ずしも、相手に同化することではないということも踏まえておく必要があります。これを見て下さい（図5）。

先生　何に見えますか。

Y　ウサギ。

J　えっ？　アヒルでしょ。

先生　その両方です。これは、ウィトゲンシュタインという哲学者が使用した「ウサギ・アヒル絵」というだまし絵の一種です。この左側の二つの長いところを耳として見るとウサギに見え、対してそれをくちばしとして見るとアヒルに見える。

J・Y　本当だ！

先生　同じものを見ていても、人はそれを同じように見るとは限らない。『三四郎』の心字池での三四郎と美禰子の出会いの場面も、先ほどのような解釈を示しましたが、それは唯一の解釈ではなく、さまざまな解釈がありうる。そのなかには、先の重松泰雄氏の示したような、盲点をついたかなり説得力のある解釈もありますし、穴だらけのものもある。でも、そうしたさまざまな解釈の積み重ねこそ、人文学の歴史といってもよいものです。われわれは、先人の残してくれた解釈を踏まえつつ、新しい読みを展開していく。そのようにして学問の歴史に参入していくのです。

J　私たちは本を読むというと、一人で黙々と読むイメージを持ちますが、決して一人じゃないということですね。先人たちが残してくれた歴史の先端で読んでいる。

先生　その通りです。

Y　漱石自身は、もともと英文学の研究者だったわけですよね。漱石自身は人文学の歴史についてどんなことを考えていたのでしょうか。

先生　漱石は、英文学を学ぶにあたり、裏切られたような気持ちになったと書いています。

Y　どういうことでしょうか。

先生　漱石は何年生まれですか。

Y　一八六七年、慶応三年です。

先生　つまり漱石は、江戸幕府最後の年に生まれた。だから、漱石の知識の源流の一つは、江戸時代以来の漢学にあります。

J　そうした知的背景があるから、漢学とは違う英文学のあり方に触れて、裏切られたということですね。

先生　そうです。そこでロンドンに留学した漱石は、自分で独自の文学理論を作ろうとします。『文学論』という成果を残しますが、結局その道を追求することもやめて小説家に転身します。

Y　では、歴史には向き合っていないのでしょうか。

図5　ウサギ・アヒル絵（出典：Wikimedia Commons）

える。

歴史に向き合うこと

先生　一面ではそうですが、しかし漱石は、ある面でずっと歴史に向き合い続けた人だとも言える。

J　先生の論文にあった『虞美人草』は、坪内逍遙の『小説神髄』に対するアンチテーゼであったということ？

先生　それもあります。でもそれだけでなく、一般的歴史というものに向き合ったというべきだと思います。『夢十夜』という作品に、ちょっと怖い話があるでしょ。

Y　第三夜ですね。ある男（作品中では「自分」）が六歳になる子どもを背負って歩いている。その子は目が見えないのに、なぜか「自分」の考えていることを見透かすようなことを言うので、気味が悪い。森に捨ててしまおうと思って歩いて行くと、子は、「御父さん、其の杉の根のところだったね」という。それに対して思わず「うん、そうだ」と答えると、子は「御前がおれを殺したのは今から丁度百年前だね」という。その瞬間「自分」は一人の盲人を殺したことを思い出す、という話ですね。

J　この怪談のような話と歴史と、どんな関係があるのでしょうか。

先生　一〇〇年も前に盲人を殺しているということは、「自分」は、一〇〇歳を優に越えていることになる。しかし、彼は六歳の子どもの父でもあるので、実際には一〇〇歳を越えているはずもない。すると、「自分」は前世で人を殺しており、その祟りでこんな目にあっているということになります。いわゆる仏教的因果応報思想ですが、漱石が輪廻転生やこうした応報思想を信じていたとは思えません。漱石は、過去の出来事によって人生を左右される、あるいは悪影響を及ぼされる人間をずっと描いているとも言える。

J　『坊っちゃん』の冒頭のくだり、Jさん、言えますか。

先生　「親譲りの無鉄砲で小供(こども)の時から損ばかりして居る」ですね。

J　そう。なんで坊っちゃんは損をしているの？

J　それは、親譲りの無鉄砲だから……あっ、そうか。親の因果が子に報い、ということですね。

漱石と幼年期

J　でも、先生は、漱石が親に愛されなかったことを一種のトラウマとして抱えていて、それが原因で精神を病み、その脱却のために『吾輩は猫である』を書いたと指摘しています（本書第1章）。また、『坊っちゃん』の世界を、子どもが抱く善悪二元論的世界の再現であるとも指摘しています（第8章）。この善悪二元論的世界の大もとには、親（多くは母親）が子どもに与える基本的信頼、すなわち自分がこの世に存在することは、無前提に善だという感覚があるということですね。

先生は、漱石が「朝日新聞」の契約小説家になって最初に書いた『虞美人草』以後、特に『三四郎』『それから』『門』の前期三部作で、現在でいう不倫を主題化したのは、一見反倫理的世界を描いているようで、実はこの基本的信頼を、とりわけ文学への基本的信頼を伝えるためだとされています。

そうすると、ある意味、善悪二元論的世界に生きている坊っちゃんが、自身を愛してくれなかった親、つまり悪（＝悪い乳房）とのつながりを意識しているということは、坊っちゃんも単純な善悪二元論的世界の住人ではなかったということにならないでしょうか。

先生　それは大変重要な指摘です。どこが重要かというと、『坊っちゃん』は、回想として書かれていますね。本書第8章でも指摘したことですが、『坊っちゃん』において清がすでに死んでいることは、冒頭で暗示されていますし、最後に清の墓が小日向の養源寺にあると言っています。つまり、坊っちゃんに基本的信頼をもたらしてくれた清はこの世にいない、自分の存在を無前提に肯定してくれる人はもういないということです。坊っちゃん自身、すでに単純な善悪二元論的世界に生きているわけではないのです。

一方、もし清がいなければ悲惨な人生を送ることになったかもしれない、そうした不幸な人生の源泉となった可能性のある、自分を愛してくれなかった親という存在についてどう考えるべきなのかが、『坊っちゃん』では提示されていない。

よく、「今の自分があるのは、誰々のおかげです」なんて言いますね。たしかに誰かとの出会いによって救われるとか、人生の転機になるということはあります。『坊っちゃん』は、清のおかげでそれなりに意義のある人生を送れた男の話とも言える。でも、救われる前の悲惨な過去は消えるわけではない。人は、悲惨な過去を忘れようとしますが、それは消えるわけではありません。

『夢十夜』の第三夜では、「自分」がどんな人物かは明らかにされていませんが、一〇〇年前の前世でおそらく人を殺している。その事実に一〇〇年後に直面させられるという話です。現世を生きている自分が犯したわけではない罪に祟られる。『坊っちゃん』のように、清によって人生が良い方向へと展開していくこともあれば、『夢十夜』の第三夜のように、過去の自身の行いによって忘れた頃に祟られることもある。

三角関係と友人

先生　『夢十夜』は怪談めいたやや極端な話ですが、実は漱石は、過去の自らの行為によって現在の自分や身の回りの人間の不幸、不如意があり、それに直面して苦しみ続ける人間を描いているのです。

Y　『こゝろ』の先生ですか。

先生　『こゝろ』の先生もそうですが、そんな人ばかり描いていると言ってもいい。

J　『それから』の代助も？

先生　はい、他にもいます。

Y　『門』の宗助もそうですね。

先生　そうです。実は、これらの人物、つまり『それから』の代助、『門』の宗助、『こゝろ』の先生には共通点があります。

J　三人とも過去の恋愛問題を引きずっている。

Y　三人とも三角関係にあった。

先生　そう。吉村英夫も指摘していることですが、漱石は、一九〇六（明治三九）年の日記に六つの三角形を書いて「三ノ人物ヲ取ツテ相互ノ関係ヲ写ストキ此六個ノ分岐ヲ生ズ。之ヲ交錯シテ互ニ用ヰルトキ無限ノ波瀾生ズ」と記しています。六つの三角形の分析はここではしませんが、漱石は三角関係を小説に描く人間関係の基本だと考えていた可能性があります。ただ、単なる男女間の三角関係ではない。

Y　友だちと三角関係になっている。

先生　その通りです。そして三角関係にあったときの対応がそれぞれ違います。まず、『それから』の代助は、かつて三千代と恋人に近い関係にあったかと思われます。しかし、親友であり三千代の兄でもある菅沼が死ぬと、もう一人の親友の平岡から三千代との仲を取り持ってほしいという依頼に応じて、平岡と三千代を結婚へと導きます。

Y　物語は、そうして結婚した平岡と三千代が三年ぶりに東京に戻って来たところから始まるのですね。

J　銀行に就職した平岡が、横領か何かに関与したようで、馘首された上に借金まで抱えている。心臓病を患っている三千代もその工面に四苦八苦している。

Y　それを見かねた代助が援助する。

J　でも、五〇〇円必要だというのに、高等遊民の代助は自分ではどうにもできず、兄嫁から必要な額の半分にも満たない二〇〇円をやっとのことで借りて三千代に渡す。

先生　二人とも代助に批判的ですね。

Y　だって平岡の家で、自分が働かないのは社会が悪いからなんて言って、ちょっと無責任という気がする。

J　そうそう。親のすねかじりなのにね。

先生　あれあれ、二人ともネオリベ派？

Y・J　違います。

Y　東京帝国大学を出たエリートなんだから、ノブレス・オブリージュを果たしてからものを言えば、ということです。

先生　働いていない者には意見を表明する権利がないとなると、学生が社会批判もできなくなってしまいませんか。ある社会に属して生活しているならば、職の有無を問わず意見を表明する権利は保障されているわけですからね。

それはいいとして、問題は三千代の苦境を見て、代助はやはりかつて自分が平岡に三千代を周旋したことは間違いだったと気づくわけです。そこで三千代に告白し、さらに平岡にも、三千代と平岡が結婚する前より三千代を愛していたと言い、三千代を自分にくれと告げます。平岡はその場では、代助に三千代をやる、と言います。ですが、このいわば不倫の話を代助の父親に連絡してしまい、その結果、代助は勘当される。そこまでして手に入れようとした三千代は心臓病が悪化し、平岡によって三千代との面会も許されません。勘当された代助は生活費稼ぎのために仕事を探しに街に出ますが、街中が真っ赤に見えてくる、というところで終わりです。

Y　ここまでくると代助が断然可哀想になりますね。

先生　さっき批判してたじゃない。

J　先生はこの結末を第8章で、心臓病を患い、しかも当時の法律では姦通罪になる可能性のある三千代をあえて選ぶ代助を、『門』に登場する抱一の屏風絵を宗助が売る話と結び付け、マルクスやフロイトを援用して論じていますね。資本主義においては、最後の一つ前に来る者が最も利潤を多く獲得する者だと。

二つ疑問があるんですが、まず、マルクスもフロイトも貨幣を糞便に喩えた。一方、先生は、人は最後から一つ前に来ることを欲望すると書かれていますが、むしろ資本主義社会では、商品を売り抜けることを求め、最後に貨幣を獲得しようとするのではないでしょうか。また、最後に来る者は、貨幣を獲得するということになりますが、代助は最後に来たから貨幣を獲得したのでしょうか。とすると、三千代は糞便ということになってしまいます。

先生 そうですね。Jさんが指摘した箇所については、補足する必要があります。最後に来る者とは、糞便としての貨幣の所有者というよりも、「商品－貨幣－商品」という資本主義における循環を止める者ということです。

循環が止まったところで経済は終わる。今回のコロナ禍を見れば明らかですが、緊急事態宣言やロックダウンによって人の流れが止まると経済活動が停滞し、その結果、倒産や失業者が増えてしまう。商品－貨幣－商品の動きを止めることはつまり、資本主義の終焉につながります。マクロレベルではそうなのですが、ミクロレベルの個人としては、ものや貨幣を所有してもそれを市場に出さないと経済活動が止まりますから、窮乏化は免れない。つまり循環を旨とする資本主義社会においては敗者の側に立つことになるのです。最後に来る者とはそういうことになります。

ところで三千代についてですが、彼女は貨幣＝糞便ではもちろんありません。抱一の屛風の話でも、屛風の価値を最も知っていたのは、最後の所有者である大家の坂井です。ただ、三千代の場合、重い心臓病を患っていて、姦通罪になるかもしれないので、代助にとっては大きな負担です。そういう点で坂井が所有していた抱一の屏風に比べれば、所有するという意味においては価値がないとも言える。もちろん代助にとっては、かけがえのない存在ですが、世間的に言えば、そういう存在をあえて引き受けるという点で、代助はやはり最後に来る者なのです。

他方、三千代を愛していないのに妻にし、最後は、三千代を代助に渡すと言いつつ、三千代と代助の関係を代助の親たちに告げ口して、長井家から金をとろうとした平岡は、最後の一つ前に来る者と言えます。

Y なるほど、代助は三千代と会うことすら叶わないのだから、なにも手に入れていない。結局、勘当され、安楽な高等遊民の身分を失っただけですね。

先生 そのことを、ここでは問いたいのです。漱石は、ある種の倫理性を問題にしていたと思いますが、三角関係の男女をテーマにしたのは、それが単に倫理を主題化する素材だからという理由だけではないのではないか。そこから、人は過去の過ちにどう対処できるかという問題を描こうとしたのではないでしょうか。

過去は償えるか

J 『それから』では、代助は、「自然の昔に帰るんだ」と呟き、三千代を取り戻そうとしたわけですが、結局それは叶わなかった。ということは、「自然の昔」への復帰はできなかったということになりますね。

先生　そう。過去の過ちに気づいてその過ちを謝罪し、なんとか修正しようとした。それを、少なくとも三千代は許してくれた。しかし、平岡は許さなかった。それだけでなく、三千代はおそらく死んでいるか死んでしまう可能性が高いので、結局過去に戻ることはできなかったということになります。

そこで『門』ですが、漱石の前期三部作の最後の作品で、『それから』のそれからということになります。『門』の宗助は、親友の安井と内縁関係にあったと考えられる御米と恋愛関係になり、安井から御米を奪うかたちで夫婦になっています。一種の不倫関係ですね。それが原因で宗助は大学を中退し、また実家からも義絶状態になる。そのあたりが代助と三千代の関係を踏襲しています。

J　『それから』では、三千代は死んでしまった可能性が高いので、代助と三千代には「それから」がなかったわけですが、『門』の宗助と御米には、「それから」があったということです。それ以外に、宗助の弟である大学生、小六の学費問題が、宗助の叔母や死んだ叔父との関係との絡みで描かれています。

Y　『それから』の代助が戻ることのできなかった「自然の昔」に、『門』の宗助たちは戻れたということ？

先生　そこはどうでしょう。代助と三千代は平岡と三千代が結婚する前から相思の関係にあったので、再会後に二人が一緒になろうとすることは、愛し合う者同士が結ばれるという「自然」な状態に復帰するという意味を持ちえます。しかし、宗助と御米は、安井を介して出会うことで初めて恋に落ちたわけですから、共有できる過去がありません。なので、互いに心引かれて結びついたという点では「自然」だったでしょうが、過去がないので「昔」ではない。ただ、Yさんの指摘は重要で、『こゝろ』の設定の問題にもつながりますので、これについてはあとで触れることにしましょう。

Y では、『門』の宗助と御米は、『それから』の代助と三千代とは結びつかないということ？

J いや、やはりつながっているんじゃないかな。もし三千代が死なず、代助と三千代が結婚することになったらどうなっていたかという視点で『門』を見ることは可能だと思うけど。

先生 そうです。代助は過去において自分の心を偽り、親友の求めに応じて三千代を譲った。しかし、そのためというと言い過ぎかもしれませんが、平岡も三千代も決して幸せではない。そこで今度は、自分の自然な気持ちに任せて三千代との関係を復活させようとした。

Y でも、三千代が死んでしまって、結局その行いがよかったのかどうか最後までわからない。

先生 そう。代助は、過去の振る舞いの過ちに気づき、それを是正しようとした。しかしそれは同時に大きな問題を発生させました。

J 彼自身、勘当されたし、友人であった平岡との関係も切れた。代助の家族にも大きな失望を残した。でもそれが具体的にどんな問題を引き起こしたかまでは、『それから』には描かれていません。

先生　そう。『門』は、まさに不倫がいかなる問題を生み出すかを描いた作品なのです。

『門』と『それから』と因果律

J　ただ、先に先生が指摘されたように、『それから』では、代助は過去の過ちを償うということがありましたが、『門』の宗助にはそれがない。むしろ御米に出会い、間違いを犯すまでは東京のいいとこのボンボンという風情で、屈託のない人生を歩んでいたという違いがあります。

先生　そのとおりです。代助はよかれと思って自身の自然な感情を抑圧して三千代を平岡に譲ったけれど、結果的に誰も幸福になっていない。一方、宗助は、親友の妻であった御米に対し、自身の自然な感情に従って行動し、いろいろな問題が発生した。

J　でも、代助も三千代と再会してからは「自然の昔」に帰ろうとして行動しています。

Y　代助は意図して「自然の昔」に帰ろうとしているのだから、本当の「自然」じゃないのでは。

J　なるほど、反省的意識が入っているから「自然」ではないということか。

先生　そう。宗助の場合では、自然な思いに従って行動したけれど、やはりうまくいかなかったということになる。それだけでなく、どうも宗助と御米の、過去における振る舞いが、彼らの現在にも悪影響を及ぼしている。

Y それは、御米が三度妊娠したけれど、三度とも子どもを授からなかったということでしょうか。最初の子が流産、二人目は早産で生まれて一週間で亡くなり、三度目は、生まれ出たものの臍帯纏絡で産声を上げることがなかったということですね。

J 御米が易者に見てもらうと、他人にすまないことをした罪が祟って、子どもができないのだと言われています。

先生 そう。典型的な因果応報思想ですね。そうしたことを漱石自身は信じていたとは思われませんが、一方、「趣味の遺伝」という小説で、一種の因縁話を遺伝という視点で説明しています。日露戦争で死んだ友人の墓に、彼とは郵便局でただ一度会っただけの女性がお参りに来ていた。どうしてその女性が友人の墓に来ていたかというと、実は彼らに瓜ふたつの、彼の祖父とその女性の祖母が相思相愛の仲だったが事情があって結ばれず、しかし二人の異性の好みが孫に遺伝して、一目会っただけの二人を結び付けたという話です。

このように一見不合理に見えることにも、因果関係があるのだという思考を漱石は持っていたと考えられます。

終わらないこと

Y　つまり、一見偶然と見えることにも、つながりが複雑すぎて人間にはわからないだけで、なんらかの必然性がある、ということですね。

先生　そう。そうした認識は、後で触れますが、『道草』の最後の場面で健三が語る言葉に示されています。

J　宗助は子どものことだけでなく、弟の小六からも軽蔑されており、にもかかわらず、大学生の小六を家に引き取り、彼の学費も捻出してやらねばならない。本来小六の学費には、宗助の父親が死んだときに残した遺産を充当できるはずだったけれど、義絶になっていた宗助に代わって遺産の管理をしていた叔父が投資に失敗して、大半をなくしてしまっている。その賠償を求めてもいいはずですが、そのことを、叔父が死んでしまっていることもあって叔母に強く言えない。そのあたりも、やはり自分の過去の振る舞いに引け目があるから強く出られないという点で、過去に囚われてしまっています。

先生　だから、代助と三千代のありうべかりし未来を描いた『門』では、自然な思いに導かれて振る舞っても、不倫という行いによって不具合が生じ、それに苦しむ夫婦が描かれています。

Y　ということは、『それから』で三千代が死なず、なんとか代助と一緒になれても、二人の人生は決して祝福されたものではなかったということになりますね。

先生　はい。ただ、祝福はされていませんが、「宗助と御米は仲の好い夫婦に違なかった」と記されているので、平岡と三千代のように愛のない、関係の破綻した夫婦ではない点で救われています。

J　なかなかすべてはうまく行かない。

先生　そうなんです。だから、『門』の最後で、冬が過ぎて春がやってきたあたりで、小六の学費の問題も目途がたち、その他諸々のややこしいこともなんとか小康状態になる。そこで御米が「本当に有難いわね。漸く[ようや]の事春になって」と言うと、宗助は「うん、然し[しか]又[また]じき冬になるよ」と不吉なことを言います。

Y　『道草』の最後の場面を思い出しますね。「世の中に片付くなんてものは殆[ほとん]どありゃしない。一遍起った事は何時[いつ]迄も続くのさ」という健三の言葉です。

先生　さすが。『道草』の話は、もう少しとっておいて、まだ考えねばならないことがあります。

J　『こゝろ』ですね。

『それから』のやり直しとしての『こゝろ』

Y　『こゝろ』の「先生」は、いわば代助の過ちを過去に遡って是正した人物だと言えますね。

先生　『こゝろ』は三つのパートからなります。語り手である「私」と「先生」の出会いと交流を描いた「上　先生と私」、「私」とその親との関係を描いた「中　両親と私」、そして先生の学生時代と、先生と奥さんの静、親友Kとの関係を描いた「下　先生と遺書」です。

ここで注目したいのは「下　先生と遺書」です。「先生」は、親友で同じ下宿に住むKから、下宿先のお嬢さんである静への恋情を告白されます。つまり、Kは『それから』の平岡で、「先生」が代助です。代助は、平岡の告白を聞いたとき、三千代との仲を取り持ちますが、「先生」は違う。代助とは逆に、Kを出し抜いて静との結婚を静の母親に申し出て決めてしまいます。その後、Kが自殺する。

「先生」は、「先生と遺書」で、叔父の裏切りという『門』の宗助の場合と重なるようなことをあれこれと書いていますが、Kへの裏切りとその自殺に有責意識を持ち、隠遁に近い生活を送るようになります。そして乃木将軍の死をきっかけに自分も自死する。

『それから』の代助は、平岡の告白をうけて、三千代の気持ちも考えず自身の恋心も封印して二人を結婚させたけれど、それが二人の幸せにはつながらなかった。一方、『こゝろ』では、Kから告白されても、自身の気持ちを優先して静との結婚に向かった。すると今度は、親友が自殺してしまい、その罪の意識を一生抱えて生きていかなければならなくなった。

J　「先生」が「自然の昔」に戻った代助だとすると、『それから』のように反省意識を介して再現された「自然」では、結局代助と三千代の結びつきや周囲との関係も、大きな齟齬が生じてうまくいかなくなった。そこで、タイムスリップするように、代助と三千代が出会った時点に戻り、それを「先生」と静によってやり直させようとした。しかしそれもうまくいかず、最後には自殺してしまうのだから、さらに苦しい人生を歩まねばならない。「先生」の人生は、代助から見たら最も悲惨なものだったとも言えます。

Y 映画の『バタフライ・エフェクト』みたいな話ね。過去に戻って問題と思われる行動を修正するんだけど、それである人が救われても、今度は別の人間に災いが及んでしまう。

『門』は、代助の不倫という過ちが愛する人の死というかたちで終わらなかった場合に訪れた未来を描いてみた。三千代が死なず、二人が見事結ばれたとしても、そのあり得た未来は決してバラ色のものではなかった。ならば今度は、平岡が代助に三千代への思いを告げる過去にまで遡り、そこで代助とは違う行動を「先生」に取らせるのだけど、そこには親友の自殺というおぞましい結果が待っていた。

J やはり、すべてはうまくいかない。漱石は、『道草』の最後で健三に「一遍起った事は何時迄も続くのさ」と語らせた後、さらに「ただ色々な形に変わるから他にも自分にも解らなくなるだけの事さ」と言わせています。そこが先ほどYさんが指摘した「一見偶然と見えることにも、つながりが複雑すぎて人間にはわからないだけで、なんらかの必然性がある」ということにかかわって来るのですね。

先生 漱石は、あることが起きると、それがさまざまなことに思わぬかたちで影響を及ぼすという認識を持っていたと考えられます。『それから』の代助と三千代と平岡の三角関係、『門』の宗助と御米、安井の三角関係、そして『こゝろ』の「先生」と静とKの三角関係というように、親友同士が一人の女性を愛するという三角関係を繰り返し描いたわけですが、いずれもなんらかの問題が発生してしまった。

私たちは過去を振り返って、もしあのときこうしていれば、ああしていればと考えます。でも、実際に過去に遡ってその思いを実現させ得たとしても、今とは違う現在になっているだろうし、それは決して理想的な現在であるとはかぎらない。なにか齟齬が生じたり、場合によっては、もっとひどいことになっているかもしれない。そうした思考実験のようなことをしていると言えます。

Y　なるほど。では、『道草』はどうなるのでしょうか。

『道草』における過去との向き合い方

先生　『道草』は漱石の自伝的小説と言われています。この小説の主人公・健三の経験は、イギリスから帰国直後に東京帝国大学を辞め、朝日新聞社に新聞小説家として入社するまでの漱石の実人生を、かなり忠実に再現したものです。簡単にあらすじを紹介しましょう。

遠い所（ロンドン）から帰国した大学教師・内海健三のもとを、金の無心のために養父の島田が訪れます。養父だけでなく、健三の姉が月々の小遣いの増額を、さらに健三の妻・御住の父まで借金の申し出にきます。その間、健三が養父の元で暮らしていた幼い頃の回想場面が差し挟まれます。島田には一〇〇円というまとまったお金を渡す代わりに関係を絶つことを約束させます。そこで一件落着となるわけですが、健三は世の中に片付くものはほとんどないと嘯きます。

これがあらすじですが、問題は、なぜ自伝的小説をこの時期に漱石が書いたかです。

J　過去に向き合うため？

先生　その通り。でもどうして？　どんな過去に向き合うの？

Y　『道草』は、漱石をモデルとして健三のもとに養父の島田が訪ねてくる場面から始まりますが、主軸の一つに自身の幼年期の経験の描写があります。

先生　そうですね。なぜ幼年期なのでしょうか。

J　漱石自身、自分が親から愛されなかったのではないかという不安があった。『吾輩は猫である』の「猫」のように、漱石は自分が捨て子同然の扱われ方をしたのではないかという思いがある。そうした幼年期の経験が、帰国後、激しい「神経衰弱」の症状を呈する原因になったとも考えられます。

先生　漱石の帰国後の狂態は、漱石の妻である鏡子夫人の『漱石の思い出』に詳しく書かれていますね。火鉢の縁に五厘銭が置いてあったのを見て、いきなり幼い筆子を漱石は殴ったと言います。そして、その理由は、漱石のロンドンでの経験にあるという。

あるとき漱石が散歩していると「乞食」がいたので、銅貨を一枚恵んでやった。その後、気分よく下宿に帰ってきてトイレに入ると、さっきの「乞食」に渡したのと同じ銅貨がトイレの窓のところに置かれていた。それを、下宿の女主人が漱石のことを尾行していて、お前のことをすべて見ているぞと告げるためだったと漱石は解釈した。そして、この女主人と同じことを娘の筆子がしたから殴ったというのです（夏目鏡子［1994］）。

親に愛されなかった漱石

Y　とんでもないDVですね。

先生　Yさんの言う通りでしょうが、当時はDVなんて概念もありませんし、漱石の怒りの原因は妄想によるものなので、筆子は可哀想ですが、病気であることも考慮しなければなりません。筆子を殴った原因とされることも妄想と言ってもよいものです。漱石がそんな状態にあったので、友人の高浜虚子が、小説でも書いて気分転換したらと勧め、そこで書かれたのが『吾輩は猫である』とされています。

そして、その次に書かれたのが『坊っちゃん』です。坊っちゃんと清の関係は、理想的な親子と言ってよいけれど、清は母親ではないので坊っちゃんをかわいがる明確な理由もない。

坊っちゃんにはひねくれたところがあって、他人から愛されない。にもかかわらず、清は坊っちゃんを愛するのだから、清の示す坊っちゃんの愛情には根拠がない。つまり、清は自分がこの世に存在することが前提なしに善であるという自信、エリクソンの言う基本的信頼を与えてくれた。そういう関係を漱石自身が精神的に追い詰められていた時期に描いていたことが重要です。

Y 一種の代償機制ということですね。

先生 そうです。漱石自身の幼年期には現実にはなかったかもしれない状態を、想像上で回復しているとも読める。

J そう読むと、なんだか漱石が可哀想になってきますね。自身の不幸な過去を書き換えようとしたと。

先生 そう考えると、漱石にとって『坊っちゃん』は、自己救済の意味があったとも言えます。しかし、言うまでもありませんが、過去を書き換えることはできません。それは、『それから』、『門』、『こゝろ』で追求したことです。つまり、『それから』では、代助と三千代、平岡の間の三角関係の問題を過去に遡り「自然の昔」に戻って解消しようとしてもできませんでした。『それから』では、代助と三千代の「それから」が描かれていない。『門』では、過去の過ちに気づいた人間がそれを償おうとした結果がどうなるかを描いたとも言えますが、それもやはりバラ色ではなかった。

『こゝろ』では、『それから』の問題が発生する原点である、平岡が代助に三千代への思いを告白したときに、『それから』の代助とは異なる行動をとるとどうなったか、つまり代助にはできなかった「自然の昔」に戻ることを先生に実行させるわけです。だが、それは親友の死というさらなる不幸を生み、自身の将来まで台無しにしてしまった。過去に遡って一つの問題を解消しても、また別の問題が生じてしまう。

J　『坊っちゃん』ではうまくいったように見えたことが、『それから』、『門』、『こゝろ』で追求していくと、どうもそうではないのではないか、と思ったということですね。

先生　そうです。われわれは、「歴史に学べ」と言います。過去の過ちを繰り返すなと。たしかに、人には学習能力がある。トライアルアンドエラーで学びながら、過ちを回避できるようになる。でも、その過ちを回避することで別の過ちを生んでいるのかもしれない。

たとえば原子力発電ですが、地球温暖化を回避するには二酸化炭素の排出量の削減が必須で、そのためには石油や石炭を使う火力発電への依存を減らす必要があり、原発の出番となった。しかし、福島第一発電所の事故など、驚くべき被害をもたらしてしまった。

J　つまり、われわれの生きている社会はさまざまな要素が複雑に絡み合っていて、これが悪だから取り除けばよいというふうに、単純ではない。

先生　そう結論づけてしまうと終わってしまうのですが、『道草』では、『坊っちゃん』で美化して描いた幼年期を直視しようと思ったのではないでしょうか。少なくとも、『坊っちゃん』

を書いていた頃には、漱石は自身の幼年期の有り様に正面から向き合ったわけではなかった。

実母の思い出と養父母の愛

Y それはとても恐ろしいことではないでしょうか。『夢十夜』の第三夜みたいに、実は自分は一〇〇年前に人を殺していたというような、驚愕の事実を突きつけられたりするかもしれない。

先生 まさにその通りです。でも漱石はあえてそれをなした。たぶんそれができたのは、小森陽一や石原千秋も指摘していることですが、『道草』の前に『硝子戸の中』の執筆があったからだと思います（小森・石原［2017］）。

Y どういうことでしょうか。

先生 『道草』は、一つには漱石の幼年期を主題化しているわけですが、幼年期を描いているのに登場しない人物がいます。

J 健三の実の母親ですね。

先生 そう、その母親のことを『硝子戸の中』では描いています。

Y 子どもの頃の漱石が昼寝をしていたときの話ですね。いつどこで犯した罪かわからないが、自分のものでない多額の金銭を使い込んでしまい、子どもの自分にはとても償うことができない、それで苦しんでいると、漱石の実母、千枝がやってきて「心配しないでも好いよ。御母さんがいくらでも御金を出して上げるから」と言ってくれて、とても嬉しかった、という話です。

先生　そうです。何があっても私が面倒を見てやると母親が言ってくれた。これは仮構かもしれないけれど、もしそうだとしても、何があっても自分を下支えしてくれるそんな母親を信じることができたことは大きい。

Y　それは『坊っちゃん』の清と、どう違うのですか。

先生　やはり、清は虚構の存在ですが、千枝は実在していた。

Y　しかし、『硝子戸の中』の母の記憶自体、虚構かもしれない。

先生　そうです。

Y　じゃ、違わないじゃないですか。

先生　そうなんですが、『道草』では、健三が幼い頃の自分と養父母とのかかわりを回想する場面がありますね。

Y　「夫婦は何かに付けて彼等の恩恵を健三に意識させようとした」というところですね。

J　「自分達の親切を、無理にも子どもの胸に外部から叩き込もうとする彼等の努力は、却って反対の結果をその子どもの上に引き起こした。（中略）「御父ッさんが」とか「御母さんが」とかが出るたびに、健三は己れ独りの自由を欲しがった。自分の買って貰う玩具を喜んだり、錦絵を飽かず眺めたりする彼は、却ってそれ等を買ってくれる人を嬉しがらなくなった。少なくとも両つのものを綺麗に切り離して、純粋な楽みに耽りたかった。」という件ですね。

Y　島田夫婦は健三の実の親でないから、その愛情は見返りを期待するもので、子どもの心にゆがみを与えた、ということ？

J　漱石の場合は、自分が親から愛されなかったのではないか、本当の親の愛を知らないのではないかという不安が巣くい、それがトラウマになって、ロンドンから帰った頃に「神経衰弱」として現れた。

先生　そうなんですが、なぜ漱石は、自身が心を病んだ時期から一〇年以上経って、そんなことを小説に描いたのでしょうか。

小森陽一は、『道草』を「自己セラピー小説」だと言っています（小森・石原［2017］）。でも、むしろ「セラピー」として機能したのは、『吾輩は猫である』や『坊っちゃん』であって、『道草』ではないでしょう。なぜなら、一番の精神的危機は、この『道草』の舞台になっているロンドンから、この小説で言えば「遠い所」から帰ってきたときです。つまり、危機自体はもう過去のものになっているのだから、そこを描くことは当時の自己を見つめる意味はあっても、「セラピー」ではない。Jさんが挙げた箇所では、漱石あるいは健三にとって、養父母の愛は不純だというわけですが、ならば実の親なら不純ではないのか。

利己的な遺伝子と親子愛

先生　進化生物学者のリチャード・ドーキンスが「利己的な遺伝子」ということを述べています。

Y　雷鳥の親が、ひな鳥を救うために、捕食動物の目を自分に向けさせるという自己犠牲的な行動をとるのも、自分の遺伝子を残すためにプログラムされた行動であって、人はそこに親の愛を見出すけれど、実際はそんな浪花節ではないという話ですね。

先生　そう。ドーキンスの視点を導入すれば、人間の親がわが子に注ぐ混じりっけのない愛も、自己の遺伝子を残そうとする遺伝子に導かれた功利的行動とも言える。

J　では、純粋な愛などないということですか。

先生　そうではなくて、不純か純粋かは、視点のとり方、つまりコンテクストのとらえ方によるということです。

Y　すべては解釈次第だと。すかした感じがしますよ、先生は。

先生　ちょっと難しく言うと、これは構築主義という考え方になります。シモーヌ・ド・ボーヴォワールが「人は女に生まれるのではない。女になるのだ」と言いましたが、それが構築主義の典型です。ただ、ここで言いたいのは構築主義そのものについてではありません。注目したいのは、漱石がこの『道草』を書いて発表したことに、漱石の養父の塩原昌之助がずいぶん腹を立て、自分たちがわがままな金之助（つまり漱石）をどれほど大切に育てたかについて語っていることです。

J 関荘一郎の「『道草』のモデルと語る記」ですね。養父の塩原昌之助に関して「金之助のためには何物を犠牲にしても惜しくないと云う様な慈愛心は、寝ても起きてもお爺さんの胸に宿つてゐた」とあります（関［1996］）。

先生 そう。塩原昌之助の証言もどこまで信頼できるものかはわかりませんが、養父母たちは、本気で金之助、つまり漱石のことをかわいがった可能性は高いのではないか。百歩譲って、そこにいくらか不純なものがあったとしても、それを血縁関係の有無で根拠づけるのはおかしい。

Y そうか。血縁関係の有無が愛情を図る基準だとしたら、養父母ですらない清が坊っちゃんに示した愛情も偽物になる。

J 先生は、漱石は親の愛を知らないとおっしゃいましたが、ならばなぜ、養父母の島田、つまり塩原夫妻の示した愛が不純だとわかったのでしょう。偽物だとわかるということは、本物の愛を知っていたということになりませんか。

先生 その通り。そもそも、『坊っちゃん』で清のような人物を造型できること自体、そうした愛情のあり方を知らなければ不可能だったということです。

Y では、『硝子戸の中』の母親の思い出は、やはり事実だったのでしょうか。

先生 それは断定できません。

J　一体、どっちなんですか。

過去に祟られること、過去に祝福されること

先生　『夢十夜』の第三夜は、自分の知らないところでとんでもない罪を犯していて、それに祟られるという話でした。では、その逆の事態がなぜ起きてはならないのか。

Y　つまり、自分の知らないところで何か途方もない善行を積んでいて、その果報がくる。

J　楽観的すぎませんか。

先生　その通りですが、過去に悪事をはたらくことも善行をはたらくこともあるわけでしょう。

J　過去に祟られると同時に、祝福されるかもしれない。

先生　ドイツの思想家ヴァルター・ベンヤミンの「歴史の概念について」という文章に、「歴史の天使」について語った有名な一節があります（ベンヤミン「1940」）。

「新しい天使」と題されたクレーの絵がある。それにはひとりの天使が描かれていて、この天使はじっと見詰めている何かから、いままさに遠ざかろうとしているかに見える。その眼は大きく見開かれ、口はあき、そして翼は拡げられている。歴史の天使はこのような姿をしているにちがいない。彼は顔を過去の方に向けている。私たちの眼には出来事の連鎖が立ち

現われてくるところに、彼はただひとつの破局(カタストローフ)だけを見るのだ。その破局はひっきりなしに瓦礫のうえに瓦礫を積み重ねて、それを彼の足元に投げつけている。きっと彼は、なろうことならそこにとどまり、死者たちを目覚めさせ、破壊されたものを寄せ集めて繫ぎ合わせたいのだろう。ところが楽園から嵐が吹きつけていて、それが彼の翼にはらまれ、あまりの激しさに天使はもはや翼を閉じることができない。この嵐が彼を、背を向けている未来の方へ引き留めがたく押し流してゆき、その間にも彼の眼前では、瓦礫の山が積み上がって天にも届かんばかりである。私たちが進歩と呼んでいるもの、それがこの嵐なのだ。（浅井健二郎編訳）

パリに亡命したベンヤミンは、ナチス・ドイツによるパリ陥落の直前、さらにアメリカへの亡命を目指し、スペイン国境まで向かうも出国を許可されずに自死しました。パリを出る直前まで書いていたとされるこの作品は、ベンヤミンの「思想的遺書」とも言われるものです。進歩史観のもと、それに寄与しないものは「瓦礫」として目もくれられない。しかし、ベンヤミンの考える「歴史の天使」は、むしろ無意味で唾棄すべきものと見える「瓦礫」から、異なる歴史を作り出そうとしていた、というのです。

おそらく、漱石が『道草』で試みたのも、ベンヤミンのいう「歴史の天使」のようなことだったのではないでしょうか。自身のトラウマの原因とも思われる「忌まわしい」過去に直面し、それについて語ることで、新しい「歴史」、異なる「歴史」の可能性を組み立てようとしたのではないか。

Y　でもこれは、漱石自身の個人史のようなものではないでしょうか。

先生　もちろん、表面的にはそうです。しかし漱石は小説について、「小説、ノ尤も有義ナル役目ノ一ツトテ、／particular case ヲ general case ニ reduce スルコト」（大正四年　断片68A）と定義しています。つまり、『道草』は、一見漱石個人の過去について語っているようで、実は一般的、普遍的な人間の有り様を描いているとも言えます。

漱石にとって養父母たちとの過去は、いわば「黒歴史」だったのかもしれません。触れたくない、忘却したい過去。でも、そうした過去があったからこそ、われわれの知る漱石があるわけです。この『道草』の主な場面は漱石がイギリスから帰国した直後です。精神的に最悪の状態にあった漱石は、そこで『吾輩は猫である』を書いて作家としてデビューした。最悪の状態にあったからこそ『吾輩は猫である』を書けたとも言える。

J　漱石が「神経衰弱」になったから、『吾輩は猫である』といった傑作が生まれ、作家漱石が誕生した。われわれにとっては、漱石先生、心を病んでくれてありがとう、ということですね。

先生　その通りというと漱石に申し訳ないですが、そうとも言えます。

われわれは歴史や過去について語るとき、好ましい面ばかりを取り上げたくなります。しかし、実際には好ましいだけの歴史はなく、おぞましいだけの歴史もありません。純粋な悪も完全な善もないように、恥ずべき過去も誇らしい過去もあって現在があり、恥ずべき過去に祟られつつ誇らしい過去に祝福されて、現在があるのです。

もう一度、『道草』の結末を思い出して下さい。先ほど、この結末が『門』の結末に似ているという指摘がありましたが、実際は少し違います。『門』では、「本当に有難いわね。漸くの事春になって」という御米の言葉に対して宗助が「うん、然し又じきに冬になるよ」と否定的な言葉を述べて終わっています。でも、『道草』は違う。

Y　「一遍起った事は何時迄も続くのさ。ただ色々な形に変わるから他にも自分にも解らなくなるだけの事さ」という健三の言葉に対し、妻のお住が「おお好い子だ好い子だ。御父さまの仰る事は何だかちっとも分かりゃしないわね」と言う。

J　健三の認識が、お住の発言によって相対化されている。

先生　そうです。「何時迄も続く」のは、禍々しいことばかりではありません。悦ばしいこともまた、形を変えて続いていきます。

Y　恥ずべきことも、誇るべきことも、すべて自身の過去として向き合えということでしょうか。

先生　そうです。そして、ベンヤミンの「歴史の天使」が、瓦礫から異なる歴史の可能性を作ったように、恥ずべき過去からも価値あるものが引き出せるかもしれない。

Y　そんなことできるでしょうか。

J　漱石は、「神経衰弱」でDVという状態から『吾輩は猫である』や『坊っちゃん』を作った。それって、瓦礫から価値あるものを作ったとも言えるかもしれない。

先生　そう。漱石は、「写生文」という随筆で、写生文とは子どもに対する大人の態度だと指摘しています。柄谷行人は、この漱石の「写生文」の主張は、フロイトが晩年に論じた「ユーモア」の主張に重なるとも指摘しています。

フロイトは、ユーモアとは、怯えている自我に「世界はとても危険に見えるけど実はこんなものなんだよ、子どもの遊びなんだから、茶化してしまえばいいんだよ」（フロイト［2006］）と言って優しく勇気づけてくれるものだとします。一見、辛く暗いように見える『道草』の健三の認識も、お住の軽やかな言葉によって、一気に明るく別の可能性を持つものへと反転しています。

過去に向き合うことは恐ろしい。『夢十夜』の第三夜のように驚愕の事実に出会うかもしれないし、『道草』の健三のように玩具で遊んだ少年時代の記憶が、養父母の「不純な」愛の存在によって不気味なものへと変わってしまうかもしれません。でも、健三の記憶は、同時に自分を愛してくれた人がいたことを証してもいる。愛らしいものが不気味なものに変化するように、不気味なものが愛らしいものへと昇華されることだってある。

漱石の小説は、われわれに過去や歴史に対する向き合い方を教えてくれます。過去に向き合うというと、どうしても生真面目さが生じてしまうけれど、漱石の小説はそれを脱臭し、そんなに肩肘張らずとも、怖じ気づかなくてもいいじゃないかと、われわれを勇気づけてくれているのです。

Y・J　先生、それもちょっと説教臭い。

あとがき

私がこの本を書いた根源には、大学に入ったときの挫折体験がある。

私が四〇年前に入学した東大では入学式と前期の講義が始まるまでの間に一週間くらいの休みがあり、そこを利用して新入生向けのオリエンテーション合宿が行われていた。第二外国語のクラスの学生四〇名ほどが一〇名あまりの二年生に引率され合宿に行く。合宿は、自己紹介から始まるが、それがカルチャーショックだった。

関西圏（三重は関西でないという人もいるが）で育った私にとって、初対面の仲間に自己紹介する際はまず笑いを取ることが肝心なのだが、四〇名ほどの学生の誰一人として受け狙いの挨拶はしなかった。私は、幼稚園を中退した話から始め、今回の本でも使った『巨人の星』の思い出を語った。『巨人の星』は毎週土曜の夜七時から放映されていた。私と姉は、普段は七時から始まる夕飯をその日だけは母親に頼んで早めに食べさせてもらい、さらに放映開始一〇分前にはトイレにも行き、五分前にはテレビの前で正座して始まるのを待った。ビデオがなかった当時は一度番組を見逃すとそれっきりになってしまうからだった。そんなことを面白おかしく話した。話したつもりだったが、誰ひとりくすりともしなかった。つまり完全に浮いていた。こいつらには馴染めないと思った。

しかし馴染めなかったのは、本当はそんなことではなかったのだと今では思う。同じクラスには流暢に英語を操る帰国子女が二人いた。当時の私はその名前すら知らなかったミシェル・フーコーやらレヴィ・ストロースを愛読しているという早熟なやつもいた。田舎では秀才で通っていて黙っていても周りの人間は私に一目置いてくれたのだが、東大では当然ながらそんなことはなかった。馴染めなかったのは、東大生の笑いの感覚ではなく、私を特別視してくれない周囲の態度だった。天狗の鼻をへし折られ、しかし鼻をへし折られたことを認めたくなかったのだ。一九歳の私は少しひねくれ者になってしまった。

ひねくれてしまった私にとって大学の授業形態も好ましからざるものだった。一般教養と呼ばれた多くの講義は、大人数のマスプロ授業で講師の一方的な話をこちらがノートを取るだけのものだった。ある講義では、開講数週間後に、先輩の講義ノートのコピーが回ってきた。講義はほぼそのコピーのまま進んだ。そこには教師の冗談まで記されており、実際の講義でも教師は同じ冗談をコピーとまるで同じ箇所で言う始末だった。それでも素直な心で講師の言葉に耳を傾けることができれば、なにがしか学ぶことができたと思うが、私には、それができなかった。本書のI部で強調したコンテクスト設定能力の根底には度量と豊富な知識が必要で、狭い了見しか持たず、かつ浅学だった当時の私にはその両方が欠けていた。

また大学の講義は、受験勉強のように合格に必要な知識をメニュー化して提示してくれるわけではない。講師は、講義で自身の専門について話はするが、その学問を学ぶ上で必要な知識をあらかじめ提示してくれることもほぼない。知識がなければ、その講義がどれほど価値のあるものでもその意義を理解することはできない。インスタント食品しか食べていない者にいきなり何万円もする高級フレンチを堪能することができないのと同じだ。

そんなこんなで二年生になる頃には、私はすっかり大学に幻滅し寄りつかなくなっていた。それと同時に学ぶことへの意欲も失って行った。何をしていたかというと、同じ高校から東大に入った友だちの下宿で三日とおかず開かれる徹夜麻雀に興じていた。

自堕落な生活を送りながらも、学ぶことに距離をおいていた自分に違和感を覚えてもいた。将来どうするかを含め、このままではいけないと思いつつも、何をしてよいのかわからなかった。それでもとにかく月に本を一〇冊は読むことを自身に課していた。

転機が訪れたのは、大学四年の春だった。当時、浅田彰、中沢新一が通称ニュー・アカ（ニュー・アカデミズム）の旗手として論壇で華やかに活躍していた。私も浅田の『構造と力』、中沢の『チベットのモーツァルト』を手に取り、知的興奮とはこういうことかと感じたのを覚えている。学ぶことの楽しさとは、新しい知識を得る喜びであり、その知識をもとに新しい見方を持てることにある。ただ新しい見方とは、知識を習得し蓄積し、その知識が思わぬ形で結びつくことでもたらされるものだ。細々とだが、本を読み続け、積み上げられた知識が、浅田らの本を通じて予想外の形で結びつき、新しい世界の見方を得ることができた。学ぶ楽しさに目覚めたときだった。それ以来、私にとって学ぶことは新しい見方を得る経験として楽しいものであり続けている。

ただ、できれば、私が大学一年生のときに感じた幻滅を、これから大学に入る人たちに味わってほしくないと思っている。本書の意図の第一は、巻末の猪木武徳先生の刊行のことばにあるように、人文学や社会科学の「重要性と面白さ」、そして学ぶことの楽しさを体験してもらいたいということである。新しい知識を通じて世界を見ることで、その別の側面を発見してもらいたいと思っている。本書のI部はそんな目的で書かれている。

しかしまた、私は新しい見方を得るだけでは十分でないと思っている。

論語に「学びて思わざれば則ち罔(くら)し、思いて学ばざれば則ち殆(あやう)し」という言葉がある。これは真実だと思うが、もう一つ付け加えるべきではないだろうか。「学びて思わざれば則ち罔し、思いて学ばざれば則ち殆し、されど学びて思い、思いて学びても、友と語らざれば則ち寒々し」。知識や見方を得ても、それを友と語らなければ、ほぼ無意味だと思うからだ。

II部では、I部と異なり、対話形式の部分を最後に持ってきたのは、得た知識を対話の中で生かすという経験こそ、学ぶことの最大の楽しさだと思っているからだ。

大学四年生になって学ぶことの楽しさに目覚めた私は、種々の本を読み漁るようになるが、同時に友人たちと読書会を開くようになった。一つのテクストについて語り合う読書会を今でも私は続けているが、そこで繰り広げられる会話から、ものを書く際の多くのヒントを得た。また、他者に自身の考えを言語化して語ることは、頭の中の漠然としたアイデアが明瞭になっていく体験だった。この本の最後の章が、対話形式になっているのは、私にとって学ぶという体験がどういうことかを伝えたいと思ったからだった。

対話形式にした理由はもう一つある。それは、本書を出版するきっかけを下さった哲学者の田島正樹先生とかかわっている。田島先生とは、かれこれ二〇年近く読書会を続けているが、先生は、私が大学教員として最初に働いた東北芸術工科大学（通称芸工大）の同僚だった。芸工大の研究室のある階の中央には談話室があり、そこは、教員が集まり、井戸端会議をする場となっていた。田島先生、比較文学の張競先生、民俗学者の赤坂憲雄先生、美術史家の鶴岡真弓先生、芸工大の初代学長で学士院会長など歴任された久保正彰先生といった錚々たる方々が集い、国際情勢、政治から哲学や文学、さらには学生の恋の悩みに至るまで実にさまざまなことが自由に語られた。

三〇歳で芸工大に専任講師として着任した私は、経歴においても学殖においても彼らの足下にも及ばなかったが、彼らに反論したり、小生意気なことを言ったりしていた。しかし、彼らは、そんな私の言葉を身の程知らずの妄言とせず、真摯に受け止め応対してくれた。それは私の言葉に価値があったからでなく、彼らの教養が私の言葉を、まるで喃語を話す乳児の言葉に人間的意味を付与する親のように解釈してくれていたからだと思う。これこそ、コンテクスト設定能力なのだが、とにかく、当時の私にとって、そうしたきら星のような諸先生方との談話は無上の喜びだった。私にとって学ぶ喜びは、思うこと以上に語ることと不可分だった。

この本の成立にも語り合いの機会は重要な意味を持っていた。本シリーズの立案者である猪木武徳先生とは、田島正樹先生、ＮＴＴ出版の宮崎志乃さんを通じて、何度か直接その謦咳に接する機会が持つことができた。先生は若輩者の私にも隔意なく接して下さり、いくつもの有益な提案を頂けた。その際の会話は、この本にかかわる大切な思い出の一つになっています。猪木先生、どうもありがとうございました。また、そうした機会を作って下さった田島先生、宮崎さんにもこの場を借りて謝意を表したい。ありがとうございます。

最後にまた私事を少し。

実は、この本をゲラにする前の最終チェックをしていた昨年八月に母が亡くなった。父が亡くなってから三〇年以上一人暮らしを続けていた母は、私や姉に何かを頼むということがほぼなかった。私が母の様子を見に行くというと、必ず来なくていいと言い、それでも会いに行くと、何の用があるのかというのが口癖だった。しかし、そのくせ行くといつも美味しい夕飯を準備しており、翌朝帰るときには新幹線で食べろと巻き寿司を作ってもたせてくれた。言葉に表すことはなかったが、母なりに私を歓待してくれていたのだと思う。

幼い頃の私は、お母さん子だった。母の姿が見えないと泣いて探し歩くような子だった。家族アルバムに、祭の日、母が居なくて大泣きする私とそれに困り果てたご近所さんを写した写真がある。その写真の隣には母に抱っこされて少し気恥ずかしそうに泣き止んだ私を撮った写真がある。そんな子どもだったので、母は私がまともに社会生活を送れるようになるかずいぶん心配していたと思う。一度はひねくれて学ぶことに背を向けてしまった私が学問の世界に戻れたのも、母の愛が私を本質的にはひねくれていない、世界を肯定的に捉えられる人間に育てくれたからだと思う。ただ、親から受けた恩へのお返しは、漱石の「坊っちゃん」が言うように、返してやりたくても返せないものだ。

親から受けた恩は、子や孫へ、次の世代に返すしかない。幸い私には昨年初孫ができた。ありさという。なのでこの本は、優しかった母の思い出と孫のありさの未来に捧げたい。

二〇二一年一月

著者

参考文献

石原千秋［1999］『漱石の記号学』講談社選書メチエ
伊豆利彦［1990］『夏目漱石』新日本新書
市川宏雄［2007］『文化としての都市空間』千倉書房
内田樹［2002］『「おじさん」的思考』晶文社
江藤淳［1965］『夏目漱石　増補版』勁草書房
江戸川乱歩［1960］「D坂の殺人事件」『江戸川乱歩傑作選』所収、新潮文庫
同「二銭銅貨」同前所収
大澤真幸［2008］『資本主義のパラドックス　楕円幻想』ちくま学芸文庫
大竹文雄［2019］『行動経済学の使い方』岩波新書
大西巨人［2002］『神聖喜劇』一巻〜五巻、光文社文庫
加賀乙彦［2003］『座談会昭和文学史二』集英社
梶原一騎・川崎のぼる［1995］『巨人の星』1〜9、講談社
カミュ、アルベール［1963］『異邦人』窪田啓作訳、新潮文庫
柄谷行人［1992］『漱石論集成』第三文明社
河合幹雄［2004］『安全神話崩壊のパラドックス』岩波書店
北山修［2001］『幻滅論』みすず書房
旧約聖書［2017］『創世記』『新改訳　聖書』いのちのことば社

小宮豊隆［1993］『夏目漱石』上・中・下、岩波文庫
小森陽一［2000］「鼎談　漱石を生きる人々」『漱石研究』第一三号所収、翰林書房
小森陽一・石原千秋［2017］『漱石激読』河出ブックス
小谷野敦［1995］『夏目漱石を江戸から読む』中公新書
佐伯順子［1999］「聖母を囲む男性同盟」『漱石研究』第一二号所収、翰林書房
作田啓一［1981］『個人主義の運命』岩波新書
重松泰雄［1979］「評釈・「三四郎」」『國文学　解釈と教材の研究』第二四巻六号所収、學燈社
シベルブシュ、ヴォルフガング［1982］『鉄道旅行の歴史』加藤二郎訳、法政大学出版局
下川耿史他編［2000］『明治・大正家庭史年表』河出書房新社
同編［2001］『昭和・平成家庭史年表』河出書房新社
下條信輔［1996］『サブリミナル・マインド』中公新書
ジュネット・ジェラール［1985］『物語のディスクール』花輪光他訳、書肆風の薔薇（Gérard Genette *FiguresIII* Seuil 1972）
鈴木光司［1995］『リング』角川文庫
関壮一郎［1996］「『道草』のモデルと語るの記」『漱石全集』別巻所収、岩波書店
立木康介監修［2006］『面白いほどよくわかる精神分析』日本文芸社
土田知則・神郡悦子・伊藤直哉［一九九六］『現代文学理論』新曜社
土田知則・青柳悦子［2001］『文学理論のプラクティス』新曜社
中村徳子［2004］『赤ちゃんがヒトになるとき』昭和堂
永嶺重敏［2001］『モダン都市の読書空間』日本エディタースクール出版部
夏目鏡子［1994］『漱石の思い出』文春文庫

夏目漱石［1993］「吾輩は猫である」『漱石全集』第一巻所収、岩波書店
同［1994］「坊っちゃん」『漱石全集』第二巻所収
同［1994］「虞美人草」『漱石全集』第四巻所収
同［1994］「三四郎」『漱石全集』第五巻所収
同［1994］「門」『漱石全集』第六巻所収
同［1994］「こゝろ」『漱石全集』第九巻所収
同［1994］「道草」『漱石全集』第十巻所収
同［1994］「夢十夜」『漱石全集』第十二巻所収
同［1994］「硝子戸の中」同前所収
同［1995］「写生文」『漱石全集』第十六巻所収
同［1995］「文芸の哲学的基礎」同前所収
同［1996］「書簡・中」『漱石全集』第二十三巻
登尾豊［1994］「三四郎論　『坊っちゃん』と比べる」『夏目漱石の全小説を読む』所収、學燈社
橋本陽介［2017］『物語論』講談社選書メチエ
平岡敏夫［2012］『佐幕派の文学史』おうふう
福沢将樹［2015］『ナラトロジーの言語学』ひつじ書房
ブルデュー、ピエール［1995］『芸術の規則1』石井洋二郎訳、藤原書店
同［1996］『芸術の規則II』石井洋二郎訳、藤原書店
フロイト、ジークムント［2008］「ヒステリー研究」『フロイト全集』芝伸太郎訳、第二巻所収、岩波書店
同［2009］「トーテムとタブー」『フロイト全集』門脇健訳、第一二巻所収
同［2006］「不気味なもの」『フロイト全集』藤野寛訳、第一九巻所収

同［2006］「フモール」同前所収
プロップ、ウラジミール［1987］『昔話の形態学』北岡誠司他訳、白馬書房
ベンヤミン、ヴァルター［1995］「パリ――十九世紀の首都」『ベンヤミン・コレクション①近代の意味』浅井健二郎編訳、ちくま学芸文庫所収
同「歴史の概念について」同前所収
ポー、エドガー・アラン［2016］『アッシャー家の崩壊』小川高義訳、光文社古典新訳文庫
マキタスポーツ［2014］『すべてのJ-POPはパクリである』扶桑社
松山巌［1984］『乱歩と東京』PARCO出版局
マルクス、カール［1990］『経済学批判』杉本俊朗訳、大月書店
同［1990］「経済学批判への序説」同前所収
丸山圭三郎［1981］『ソシュールの思想』岩波書店
同［1983］『文化記号学の可能性』日本放送出版協会
同［1987］『言葉と無意識』講談社現代新書
南博編［1965］『大正文化』勁草書房
森本あんり［2018］『異端の時代』岩波新書
矢野恒太郎記念会［2006］『数字で見る日本の一〇〇年』矢野恒太郎記念会
山本芳明［2001］『文学者はつくられる』ひつじ書房
吉田司雄［2004］「探偵小説という問題系」『探偵小説と日本近代』所収、青弓社
吉見俊哉［2015］「『人文社会系は役に立たない』は本当か？」『現代思想』四三巻十七号所収、青土社
四方田犬彦［1994］『漫画原論』筑摩書房
若桑みどり［2003］『お姫様とジェンダー』ちくま新書

＊漱石作品からの引用に際し、旧字・歴史的仮名遣いを新字・現代仮名遣いに適宜書き改めています。
＊本文中の文学表現は、作品の執筆年代・執筆された状況を考慮し、そのまま掲載しています。

著者紹介

千葉一幹（ちば・かずみき）

大東文化大学文学部教授。文芸評論家。1961年生まれ。1990年東京大学大学院総合文化研究科比較文学比較文化博士課程単位取得満期退学。東北芸術工科大学助教授、拓殖大学商学部教授などを経て現職。「文学の位置——森鷗外試論」で群像新人文学賞、『宮沢賢治——すべてのさひはひをかけてねがふ』で島田謹二記念学藝賞受賞。著書に『現代文学は「震災の傷」を癒やせるか』（ミネルヴァ書房）、『賢治を探せ』（講談社選書メチエ）など。

人文知の復興 1

コンテクストの読み方

コロナ時代の人文学

2021年3月9日　初版第1刷　発行

著者　千葉一幹

発行者　長谷部敏治

発行所　NTT出版株式会社
〒108-0023
東京都港区芝浦3-4-1　グランパークタワー
営業担当　電話 03-5434-1010　ファクス 03-5434-0909
編集担当　電話 03-5434-1001
https://www.nttpub.co.jp

装丁・本文デザイン　松田行正＋杉本聖士

本文組版　キャップス

印刷製本　中央精版印刷株式会社

JASRAC　出 2009243-001

ISBN 978-4-7571-4357-9 C0090

刊行のことば

科学技術の急速な進展と産業の発達によって、人間の生活全般における身体的な負荷は驚くほど低下した。われわれは楽に、早く、遠くへ、そして多くのことを成し遂げられるようになった。人間は、小さな体からとてつもない巨人へと成長を遂げたかのようである。だが肉体の膨張は、人間の内部・外部にさまざまな空隙と亀裂を生み出しており、その空隙は何かによって満たされることを強く求めているように見える。

改めて意識すべきは、科学と技術という個別の分野での発見や革新が、人類の全体としての進歩を必ずしも意味しないということだ。ジグソーパズルの一部を精緻に仕上げても、全体がいかなる絵柄になるのか知ろうとしない限り、社会の進歩について語ることは難しい。われわれは肉体、精神、物質のバランスに留意しつつ、「事実」を出来うる限り全体の文脈のなかで学ぶ知的誠実さを持たねばならない。と同時に、理想を抱き、「想像力」によって、さまざまな変化に倫理的誠実さを持って対応することも求められる。

シリーズ「人文知の復興」は、古典を含む人文学や社会科学の遺産から、改めて「人間とはなにか」に迫り、現代社会が生み出している精神の「空隙」を満たすための一助として企画された。人間という謎、その人間が織りなす社会と向き合いながら、人文学、そして社会科学の役割、その重要性と面白さを広く読者に伝えたいという思いから、熱意あふれる執筆陣が自由なテーマとスタイルで読者諸兄姉に問いかけている。

学生だけでなく、現役で社会活動に携わる方々、引退生活の中で来し方を振り返る人々にも、本シリーズが、善き生、善き社会を考える縁(よすが)となれば幸いである。

二〇二一年春

猪木武徳